D0766401

La clairière Bouchard

L'auteur

Né à Québec en 1960, livreur de pizzas autodidacte, Claude Bolduc écrit et vit à Hull, dans l'Outaouais québécois. Il a déjà publié une quarantaine de nouvelles dans des revues, des fanzines et dans des ouvrages collectifs. Passionné par tout ce qui touche l'horreur et le fantastique, Claude Bolduc adore faire frissonner les gens, même lorsqu'il fait 30 °C sous zéro. Un fou... talentueux et bien sympathique.

Du même auteur

La Maison douleur et autres histoires de peur, nouvelles jeunesse, direction, Hull, Vents d'Ouest, 1996.

Dans la maison de Müller, roman jeunesse, Montréal, Médiaspaul, 1995.

Sourires, nouvelles, direction, Bromptonville, l'À Venir, 1994.

Visages de l'après-vie, nouvelles, Bromptonville, l'À Venir, 1992.

ROMAN ADO | HORREUR

Claude Bolduc
La clairière Bouchard

Données de catalogage avant publication (Canada)

Bolduc, Claude, 1960-
La clairière Bouchard
(roman ado ; 3. Horreur)
Pour les jeunes de 12 à 16 ans.

ISBN 2-921603-26-8

I. Titre. II. Collection ; Roman ado ; 3.
III. Collection : Roman ado. Horreur.

PS8553.O4746C52 1996   jc843'.54   C95-941835-0
PS9553.O4746C52 1996
PZ23.B64C1 1996

Dépôt légal — Bibliothèque nationale du Québec, 1996
Bibliothèque nationale du Canada, 1996

Révision : Guy Sirois

© Éditions Vents d'Ouest inc.
   & Claude Bolduc

Éditions Vents d'Ouest inc.
67, rue Vaudreuil
Hull (Québec)
J8X 2B9
Téléphone : (819) 770-6377
Télécopieur : (819) 770-0559

Diffusion : Prologue inc.
1650, boulevard Lionel-Bertrand
Boisbriand (Québec)
J7H 1N7
Téléphone : (514) 434-0306
Télécopieur : (514) 434-2627

*À Christine pour ses encouragements
et à Guy pour ses enseignements.*

Chapitre premier

RIEN que du vieux.
Aucune construction ici ne faisait plus de trois étages, et pas une seule ne semblait âgée de moins de cinquante ans. Il n'y avait pas de parcomètres le long des rues, pas d'arrêts d'autobus, pas de feux de circulation, pas de centre commercial.

Cet endroit n'était pas civilisé. C'était le désert.

– Eh bien ! Marc, que penses-tu de ton nouveau coin de pays ?

Sa mère s'était retournée sur son siège et le regardait par-dessus le dossier. Du bout du doigt, elle remonta ses lunettes sur son nez. Le pire, c'est qu'elle paraissait heureuse. Elle serait pourtant la première à souffrir d'un pareil isolement. Oh non ! pas la première ! C'est évidemment Marc lui-même qui pâtirait le plus. Mais comme il ne trouvait pas les mots exacts pour exprimer son dégoût, il garda le silence et adressa à sa mère sa meilleure imitation d'un sourire.

— Cesse donc de bougonner comme ça ! Tu devrais être content. Le grand air, les grands espaces, des nouveaux copains, c'est en plein ce qu'il faut à un garçon de ton âge.

Maintenant, elle était moins joyeuse. Le problème, avec les mères, c'est qu'elles savent toujours si vous faites semblant. Marc laissa retomber son faux sourire, puis se tourna vers la fenêtre de la voiture.

— Y a rien ici, dit-il enfin, en croisant brièvement le regard de sa mère.

— Je te le dis, moi, tu vas aimer ça, ici, lança son père, au volant, sans quitter la route des yeux.

Évidemment, si son père le disait, Marc avait intérêt à aimer ça, bien que cette idée le révoltât.

— Mais c'est à Québec, que tu vas travailler, ne put-il s'empêcher de dire. Pourquoi acheter une maison dans un trou pareil ?

Son père soupira. Marc remarqua que sa main droite était maintenant crispée sur le volant. Il vit ensuite les sourcils froncés, puis les yeux menaçants dans le rétroviseur au-dessus du tableau de bord.

— Écoute-moi bien, jeune homme. J'ai essayé pendant presque dix-huit ans de relaxer dans la cohue de Montréal. Je n'ai jamais réussi. Je viens d'être nommé superviseur du district de Québec. J'ai les moyens de m'offrir une maison à la campagne. La paix, enfin ! La paix ! Et tu aurais voulu qu'on aille s'installer en plein centre-ville ? Jamais de la vie ! Je te le dis, que tu vas finir par aimer ça...

Le ton de la dernière phrase était bas, comme le feulement d'un fauve à l'affût. Les yeux brun foncé avaient quitté le rétroviseur. Marc aurait pu protester ou se plaindre, mais à quoi bon ? Il appuya son front sur la vitre et demeura silencieux.

La voiture roulait très lentement, comme si son père avait craint de rater la rue dont Marc avait oublié le nom. Comment un homme pourrait-il s'égarer dans ce village de rien alors qu'il a toujours habité une ville comportant des milliers de rues ?

Incroyable : il y avait, plus loin sur le trottoir, une femme vêtue d'une robe noire comme il n'en avait vu que dans des films de l'ancien temps. Elle était assise sur un banc, avec sur sa tête inclinée un objet que Marc ne pouvait se résoudre à appeler un chapeau et qui dissimulait son visage.

Regardez-moi ça, on se croirait dans *Les Filles de Caleb*, pensa-t-il en détaillant la femme. Il avait failli le dire à voix haute, mais la vue des sourcils froncés de son père dans le rétroviseur l'avait incité à faire preuve de retenue. L'allure de cette femme, dans un décor pareil, était la chose la plus déprimante qui soit. Ce n'était pas l'autre bout du Québec, ici, c'était une autre planète !

Comme la voiture arrivait à la hauteur de la femme, celle-ci releva brusquement la tête et fixa sur Marc ses yeux pâles et fulminants. Sa bouche béait comme un grand trou noir au bas de son visage. Elle suivit même le mouvement de la voiture. Interloqué, Marc détourna la tête. Ça alors ! Elle aurait entendu ses pensées qu'elle n'aurait pas eu un air plus mauvais. Sûrement pas du genre grand-maman gâteau… Grotesques, ces pensées. Débiles, comme ce déménagement. Oui, il allait certainement finir par en faire une dépression.

La plus grosse bâtisse du village était certainement l'église, dont le clocher était visible au-dessus des maisons à plusieurs rues de distance. Et alors ? Qu'en avait-il à faire, d'une église ?

Marc reprit un peu espoir lorsque la voiture passa devant ce qui avait tout l'air d'une salle de billard. Plusieurs jeunes d'une quinzaine d'années flânaient autour, et certains d'entre eux les observèrent au passage. Il tenta de mémoriser l'endroit, en se servant du clocher de l'église comme point de repère. Rue Royale, lut-il sur un panneau indicateur.

Il n'avait toujours pas vu d'arcade de jeux vidéo, ni de cinéma, ni même de terrain de jeux.

Qu'allait-il faire dans un trou pareil ?

Qu'allait-il devenir ?

Montréal, où es-tu ?

— Tiens, rue de l'Érablière, s'exclama sa mère, qui arrivait toujours à lire les panneaux avant tout le monde.

La voiture ralentit, puis tourna à droite dans une rue non asphaltée dont l'état rappelait surtout une piste de motocross.

Son père fit de son mieux pour contourner trous et bosses, mais les trois occupants de la voiture sautillaient comme du pop-corn au micro-ondes. Avec des rues de ce genre, son père finirait peut-être par changer la Toyota pour un Jeep. Cette idée plaisait plutôt à Marc. Oui, avec des roues hautes comme ça, du chrome partout et des vitres teintées. Ce serait bien. Ça lui plairait.

Il n'aurait pas le choix. Que pourrait-il aimer d'autre dans un trou pareil ?

Les maisons semblaient moins vieilles dans cette rue, mais elles étaient en bois quand même. Pas de brique non plus, ici. Puis, comme Marc regardait vers un toit, il vit un mouvement dans les rideaux. On les espionnait ou quoi ? Plusieurs tracteurs étaient stationnés au bord de la rue. Une longue excavation commençait à cet endroit et s'étendait en ligne droite jusqu'aux dernières maisons qui étaient... neuves ! La voiture eut un soubresaut sur une bosse et le front de Marc heurta la vitre latérale.

— C'est le nouveau quartier de Saint-Thomas, débita son père en le regardant brièvement dans le rétroviseur. L'agent immobilier m'a assuré que la rue serait asphaltée avant l'hiver.

Un quartier ! Marc faillit pouffer de rire, mais il était beaucoup trop découragé pour le faire vraiment. Le « quartier » en question : huit maisons. En détournant son regard, il remarqua une silhouette à une fenêtre de la dernière vieille maison. C'était une fille, aucun doute. Pas trop loin de chez lui. Bon, c'était déjà ça.

Bientôt, la voiture fut trop loin pour que Marc vît encore la silhouette. Il reporta son attention sur les maisons neuves. Puis il grimaça. Au bout de la rue, il n'y avait plus de quartier. C'était un champ. Au-delà, se dressant comme un mur vert jusqu'au ciel, la forêt. Et la voiture qui roulait toujours, qui s'approchait sans cesse de l'extrémité, du bout, de la fin.

— Terminus ! fit son père en engageant la voiture dans le stationnement d'une maison, la toute dernière.

À ce moment, Marc se força de sourire, car il se disait qu'il n'aurait peut-être plus jamais envie de le faire.

✳

— Du nouveau dans le village, dit Aline, appuyée à la fenêtre du salon, en regardant passer la voiture rouge devant la maison. Que c'est que vous dites de ça, Pepére ?

Par-dessus son épaule, elle vit Pepére immobile sur son fauteuil, sa bouche légèrement entrouverte, son regard perdu quelque part dans la vaste pièce. L'avait-il seulement entendue ? Peut-être. Sait-on jamais ce qui se passe dans la tête de Pepére...

Elle étira le cou. La voiture s'était arrêtée devant la dernière maison neuve, celle où un gros camion était venu la veille. Les passagers descendirent. Aline allait retourner à son ménage lorsqu'elle remarqua le garçon aux longs cheveux blonds qui, planté devant la maison, l'examina longuement. Il finit par entrer rejoindre ses parents, et Aline se détourna de la fenêtre.

– Un peu de sang neuf dans le coin, ça fera pas de tort, hein Pepére?

Pepére marmonna quelque chose d'inintelligible. C'était la grande forme, aujourd'hui. Ses yeux se posèrent sur Aline, puis glissèrent vers la fenêtre. Un autre marmonnement.

– Bien sûr, fit-elle en s'approchant de lui. Elle le prit sous les aisselles et le souleva. Du bout du pied, elle approcha la chaise roulante pour l'y asseoir, la poussa jusqu'à la fenêtre, et l'orienta vers les maisons neuves.

– C'est correct comme ça?

Le regard de Pepére constituait la meilleure des réponses.

Aline retourna débarrasser la table, fit tremper la vaisselle, puis monta à sa chambre mettre un peu d'ordre. De temps à autre elle s'immobilisait et tendait l'oreille, à l'affût d'une faible manifestation de Pepére. Mais quand elle l'installait face à l'une ou l'autre fenêtre, il ne la dérangeait jamais. Lorsqu'elle tira les rideaux pour faire de plus de lumière, elle vit le garçon de la maison neuve sortir pour prendre des choses dans la malle de la voiture. Quinze ans, seize, peut-être?

Elle l'observa avec minutie. Il était loin de lui déplaire. Pas trop grand. Plutôt bien bâti. Ses cheveux étaient mi-longs et du blond le plus pâle qu'elle n'ait jamais vu. Il fit plusieurs fois le trajet entre la voiture et la maison, transportant des boîtes. Chaque fois qu'il en ressortait, Aline le voyait jeter un regard à la ronde, puis secouer la tête et courber l'échine.

Elle ne pouvait voir ses traits de si loin, mais déjà elle savait qu'il était différent des gars du village. C'était peut-être sa façon de marcher, ou alors de se vêtir, de se coiffer, comment savoir, comment dire…

Aline sourit. Il faudrait vraiment qu'elle s'arrange pour le voir de plus près. Qu'elle le rencontre avant les autres. Qui sait s'il n'allait pas devenir aussi idiot, épais et borné qu'eux si jamais il commençait à les fréquenter.

Oui, elle voulait être la première.

Chapitre 2

CONTACT!
    La musique jaillit dans la chambre. D'un geste rapide, Marc changea de plage. Il lui fallait une chanson à la mesure de ses sentiments. Dixième chanson. Voilàààà. *P'tite vie, p'tite misère, que c'est que j'vas faire...*

S'étant retourné, il contempla l'amoncellement de boîtes qui encombraient sa chambre. Deux seulement avaient été ouvertes jusqu'à maintenant.

La première chose dont Marc avait éprouvé le besoin avait été une couverture. Pour masquer la fenêtre, qui ne donnait sur rien. Du foin, des arbres plus loin. Vide. Désert.

Ensuite, comme le lui avait suggéré sa mère, il était allé à l'essentiel pour aujourd'hui. Sans doute que celle-ci ne faisait pas allusion à la chaîne stéréo, mais l'essentiel, ce n'est pas la même chose pour tout le monde, pensa Marc en hochant la tête.

La musique ne suffisait pas pour remplir sa chambre; aussi décida-t-il d'installer son ordinateur et d'ouvrir un jeu, n'importe lequel. Il dut d'abord déplacer toutes les boîtes qui encombraient son pupitre et toutes celles qui dissimulaient son appareil. Plus tard, il eut encore à les bouger pour les empiler en équilibre instable contre un mur, après s'être aperçu qu'il ne disposait pas de l'espace nécessaire pour placer correctement son matelas.

Quelques posters sur les murs achevèrent de donner un peu d'allure à sa chambre. Metallica dans un coin, Vilain Pingouin dans un autre, la lune entre les deux. Marc vit du coin de l'œil un petit sac en papier sur une boîte. Il l'ouvrit et en sortit délicatement son cactus, qu'il posa sur le dessus de son moniteur allumé. Puis, à court d'idées et de courage, il décréta que c'était bien assez de travail pour l'instant et se rendit éteindre le plafonnier. La couverture devant la fenêtre laissait filtrer juste ce qu'il fallait de lumière.

Ou empêchait la pénombre de sortir, pensa-t-il immédiatement. Bah ! c'était une question de point de vue ! Pour l'heure, il pouvait enfin se détendre, sur son matelas, bercé par la musique. Et nourrir ses appréhensions… malheureusement. Plus tard, l'ordinateur.

Qu'allait-il pouvoir faire de ses dix doigts dans un endroit pareil ? Rien, bien sûr, puisqu'il n'y avait rien ici. Rencontrer des gars de son âge ? Des fils de fermiers, de bûcherons ? (Non, il n'avait pas remarqué de fermes en arrivant.) Ça ne devait pas être pareil, des gens comme ça. Et les filles, alors ? De grosses et robustes paysannes ?

Tout ça le rendait malade. Le voilà parmi des gens habillés en chemises à carreaux, qui portent des bottes à l'année longue et parlent toujours avec un brin de foin fiché au coin de la bouche.

Il tripota du bout des doigts les quelques poils sous son nez. Non, pensa-t-il, il n'avait pas vu de chemises à carreaux. Mais quand même. Il n'y avait rien à faire dans le coin. Marc se voyait condamné à vivre dans sa chambre pour ne pas mourir d'ennui. Musique, jeux vidéo, musique, jeux vidéo, musique, jeux vidéo. Sans doute que ça le rendrait fou à la longue. Ou complètement abruti.

Il s'aperçut que, malgré le soin précédemment apporté à décorer ses murs, il ne fixait que la couverture suspendue devant la fenêtre. Sans la quitter des yeux, il tenta d'imaginer le paysage qu'elle cachait. Les arbres, là-bas. La chambre devenait floue, tant il forçait son regard sur la couverture. Son corps gisait mou sur le matelas, sa respiration était lente et profonde. Il n'arrivait pas à visualiser correctement les arbres. Il secoua la tête, puis se leva, un peu gourd, pour marcher jusqu'à la fenêtre. Il n'avait le goût de ne rien faire. La perspective de rester dans sa chambre ne lui souriait pas davantage. Que lui arrivait-il ? C'était ça, un début de dépression ?

Marc souleva un coin de la couverture. La lumière crue du dehors lui fit plisser les yeux. Les arbres étaient bien là, à l'autre bout du champ. Verts. Leurs branches devaient bouger à l'unisson dans le vent. Leur bruit ressemblait sans doute à celui que l'on fait en courant dans un paquet de feuilles mortes. Peut-être les gros troncs craquaient-ils lorsque les têtes dansaient trop dans le vent. Marc ferma les yeux un moment, pensa à ces mots qui venaient de défiler dans sa tête. Il haussa les épaules. Il était bien trop loin des arbres pour se tracasser avec ça. Il rouvrit les yeux.

Fasciné, comme étourdi, son front appuyé sur la vitre tiède, il regardait les arbres, si lointains, mais tellement présents. Il se rendit compte qu'il retenait son souffle. Pourquoi? Il laissa retomber la couverture. Il en avait assez vu. Il respira bruyamment. La musique jouait toujours, il venait de s'en apercevoir. Il la fit cesser, puis se rendit éteindre son ordinateur. Sortir, sortir.

Après avoir enfilé sa veste, il quitta sa chambre et sortit de la maison. Un petit tour au village lui en apprendrait un peu plus sur le genre de vie qu'il allait devoir mener ici.

Rue Royale, Marc ralentit son pas. Il se sentait en quelque sorte soulagé : l'impression de se trouver en plein désert était moins forte que chez lui. Au moins, il y avait des maisons tout autour qui cachaient le vide. Il redressa la tête. Chez lui! Cette expression le fit grimacer. Il balança un coup de pied sur un caillou, qui roula et sautilla dans la rue.

Un peu plus loin, il vit un dépanneur. Il y entra et repéra une drôle de machine à pepsi. Une comme il en avait déjà vu dans des vieux films, qu'on ouvrait par le dessus. Intrigué, il leva le couvercle. Les bouteilles étaient suspendues par le goulot à des rails et baignaient dans une eau glacée. Il sortit un dollar de sa poche, puis repéra la fente sur la machine. Mais elle était trop petite pour les pièces d'un dollar.

— Ça prend pas les piasses rondes, cette vieille affaire-là, lança une voix rugueuse derrière lui.

Marc sursauta et se retourna. Difficilement, il se retint de sourire. Assis à une petite table collée au mur, une espèce de Père Noël amaigri le regardait, café en main, avec peut-être un sourire dissimulé dans son incroyable barbe.

— Fais pas cette tête-là. T'as juste à prendre une bouteille pis la payer au cash, ajouta le vieux en agitant un bras.

Drôle de bonhomme. Il y en avait trois autres à la table, d'un âge tout aussi respectable, sans doute en train de discuter du bon vieux temps. Cela ressemblait à certains cafés de Montréal l'après-midi. Sauf pour la machine à pepsi. Marc prit une bouteille par le goulot et la fit glisser le long des rails. Au bout, le mécanisme qui devait arrêter la bouteille avait été enlevé, et il sortit son pepsi avant de se diriger vers la caisse. Et quelle caisse ! Énorme, toute chromée, mais poussiéreuse, avec un gros levier sur le côté. Marc étira le cou. Les boutons étaient hauts d'un centimètre. Des rouges, des blancs, des jaunes.

— T'as l'air d'un gars qui en a pas vu souvent des comme ça, dit le vieux en s'approchant lentement. En visite dans le coin?

— Non, répondit Marc en se tournant. On vient de déménager... rue de... de l'Érablière.

Ouf, il avait fini par s'en souvenir. Au premier jour, ce n'était pas si mal. Il déposa sa bouteille sur le comptoir, avec l'impression de sentir plusieurs regards scruter son dos. Il écouta le déclic des boutons (pas de bip-bip comme sur les caisses normales), le bruit du levier et le tintement de cloche lorsque le tiroir s'ouvrit.

— Pis vous arrivez d'où, comme ça?

— Montréal... soupira Marc, mais il n'eut pas le courage de lui faire part de ses états d'âme.

— Montréal? Ben ça va faire changement pour vous autres, hin hin hin!

Le rire du vieux ressemblait à un grincement de gonds mal huilés. Il s'était retourné vers ses copains à table, qui sourirent à leur tour.

— Ça fait une piasse juste, dit-il en regardant Marc, qui fit rouler une pièce sur le comptoir.

— Un sac avec ça? reprit le vieux.

— Non, ça va comme ça, répondit Marc en prenant sa bouteille. Merci.

Il marcha vers la sortie, promenant distraitement son regard sur les piles de caisses de bière, le bric-à-brac sur les tablettes, et les tuiles fendillées du plancher.

— Hé! entendit-il derrière lui.

Il fit volte-face.

— Bienvenue à Saint-Thomas, fit le vieux avec un signe de la main, geste aussitôt imité par les hommes à la table.

— Euh… ben, merci.

Marc fit quelques pas à reculons en souriant aux hommes, mais déjà ils étaient retournés à leur discussion. Il ouvrit la porte, sortit, jeta un dernier coup d'œil au Père Noël maigre qui marchait vers une pièce à l'arrière. Au moment où il se tournait vers la rue, une silhouette, une collision.

Marc perdit l'équilibre et se retrouva contre le mur, pendant que des bruits de papier déchiré et d'une avalanche d'objets percutant le sol brisaient le silence. La silhouette était par terre, sur son derrière, et le regardait droit dans les yeux. Jolie, la silhouette.

— Oh… désolé, s'excusa Marc en s'empressant de tendre une main secourable vers la jolie brunette qui gisait à ses pieds. Je regardais pas où j'allais. J'ai vraiment pas de tête.

— Moi non plus, je regardais pas, répondit la jeune fille en saisissant sa main.

Elle jeta un coup d'œil amusé aux bouteilles sur le sol, puis regarda Marc. Par un heureux hasard, elles étaient toutes en plastique.

— Laisse-moi t'aider.

Marc ramassa quelques boutielles. Pendant une seconde, il eut l'impression qu'elle l'examinait. Puis, elle se pencha à son tour, et ses longs cheveux bruns masquèrent en partie ses traits, en particulier ce petit sourire en coin qui ne la quittait pas.

— C'est gentil, dit-elle en relevant brièvement la tête vers lui.

Voilà ce qu'il appelait un visage agréable.

— Je m'appelle Marc, fit-il en se redressant avec une pleine brassée de bouteilles.

— Moi, c'est Aline. C'est vous qui venez de déménager au bout de la rue de l'Érablière ?

— Eh oui ! répondit Marc, qui tout à coup mit des traits sur la silhouette aperçue plus tôt à une fenêtre, quand ils étaient arrivés.

— Alors on est presque voisins.

Elle fit un geste sec de la tête pour envoyer ses cheveux par-dessus son épaule, dégageant son visage, ainsi que ses yeux noisette et pétillants. En ouvrant la porte du dépanneur, Marc échappa la moitié de ses bouteilles, et encore la moitié du reste en tentant de les ramasser, ce qui provoqua un petit éclat de rire chez Aline, doux comme une musique acoustique.

En les voyant entrer, un des vieux à la table appela :

— Hé ! Ti-Gris, y a la petite-fille du gardien Brodeur au cash !

Le Père Noël émergea de derrière et marcha jusqu'à son comptoir.

— Si c'est pas notre belle Aline ! s'écria-t-il de sa voix grinçante. Comment va le grand-père ces temps-ci ?

— Pas pire, pas pire. Comme d'habitude, répondit-elle en déposant ses bouteilles sur le comptoir.

Marc déposa les siennes, puis observa Aline pendant qu'elle prenait un pot de café sur une tablette. Sa robe à mi-jambes laissait voir des chevilles minces et gracieuses, ainsi que l'amorce de jambes aux rondeurs aguichantes. Elle était un peu plus petite que lui, juste de la bonne taille, pensa-t-il. Et ce sourire...

Après qu'Aline eut payé son café, ils se dirigèrent vers la sortie.

— Allais-tu quelque part en particulier en sortant d'ici ? demanda-t-elle en le regardant.

— Non, pas vraiment. Je voulais juste me promener, découvrir un peu le village, et boire mon pepsi, fit Marc en tapotant la poche de sa veste.

Il se surprit à espérer une invitation.

— Qu'est-ce que tu dirais d'une visite guidée ? lança Aline en posant une main sur son épaule. Et gratuite, à part ça !

— Vendu !

✳

Ce qu'il est beau, pensait Aline en étudiant le profil de Marc, qui regardait ailleurs.

— Et là-bas, la grosse bâtisse blanche en face de la quincaillerie RO-NA, c'est la salle de cinéma du coin. Je travaille à la quincaillerie trois jours par semaine. Si t'as besoin d'un bon tuyau…

Marc donnait l'impression d'être intéressé par ce qu'elle lui montrait, mais Aline se rendait bien compte que tout ça lui était absolument indifférent. Et pourtant, aucun signe d'impatience. Il restait, il l'écoutait, lui jetait de fréquents coups d'œil. Aline sourit. Si quelque chose intéressait Marc, ce ne pouvait être qu'elle. Bien voilà. Elle venait de se faire un copain. Qui n'était pas un des autres. Que les autres ne connaissaient pas. C'était son copain à elle, et elle ne tenait pas à le partager avec les stupides gars du village.

Son sourire s'agrandit encore. Le coup des bouteilles — en plastique, bien sûr —, la collision bidon, c'était bien pensé. La meilleure prise de contact qui soit.

— Dis donc, lança Marc, as-tu toujours une aussi belle façon ?

— Toi aussi, t'as un beau sourire, fit-elle en se sentant rougir.

Il la regardait avec insistance. Aline eut l'impression qu'il avait autre chose à dire, mais qu'il n'osait le faire. Comment réagir ? Elle n'allait quand même pas le brusquer. Et puis, elle-même était un peu intimidée. Seul le temps pourrait favoriser un déblocage. Il lui fallait donc prolonger cette rencontre, dans la mesure du possible.

— Est-ce qu'il y a une arcade à Saint-Thomas ? reprit Marc.

— Pas vraiment, mais il y a quelques machines à la salle de pool, un peu plus loin. Tu veux aller voir ?

— OK.

Pendant une seconde, sans ralentir son pas, Marc sembla réfléchir.

— C'est la seule salle de pool du coin ? demanda-t-il enfin.

— La seule, oui. Tu viens de la ville, toi, hein ?

— De Montréal. Il y a de tout, là-bas. Des salles de pool, des arcades, des cinémas partout, des terrains de jeux, le métro, des autobus, de tout, je te dis.

— Et ici, tu trouves qu'il n'y a rien ?

— Ben... c'est différent. Je ne sais pas si je vais m'habituer.

— Je suis sûre que tu vas trouver des choses intéressantes, assura Aline en insistant un peu plus sur son regard — mais pas trop. Et puis, pas besoin d'autobus ; peu importe où tu veux aller dans le village, c'est jamais loin.

— Mouais. Mais j'aime pas marcher pour rien. Dis, vous avez le câble, ici, j'espère ?

— Ben oui, on a le câble ! Tu parles d'une question ! On n'est pas dans le bois, quand même ! On a même des toilettes, figure-toi donc !

« Du calme, Aline, se dit-elle. C'est pas en lui piquant une crise que tu vas l'accrocher. »

– Pis on vit pas tous dans des huttes, ajouta-t-elle d'une voix plus douce, pour tourner en ridicule ce qu'elle venait de dire.

– Je disais ça juste pour t'agacer. Je me doutais bien que vous aviez des toilettes…

Aline ne savait pas comment Marc était susceptible de réagir, aussi retint-elle la baffe amicale qu'elle lui destinait. Elle se contenta de lui faire de gros yeux, sourire en coin. Il la testait, elle en était sûre. Marc était un petit comique, aucun doute là-dessus. Tant mieux, les autres gars du village manquaient cruellement de subtilité.

Marc s'immobilisa. Il ouvrit grand les yeux, puis détala à toutes jambes dans la rue. Aline était restée sur place, bouche bée. Il courut jusqu'au coin de Larose. Il s'arrêta devant la pancarte ARRÊT et enserra la mince tige métallique qui la supportait. Aline crut même qu'il l'embrassa.

– Enfin, quelque chose comme chez nous ! Un beau STOP ! cria-t-il à Aline après s'être tourné vers elle, sans lâcher le panneau de signalisation.

Petit comique, pensa Aline. En tout cas, il n'était pas long à dégêner. À bien y penser, elle aurait dû lui donner une baffe tout à l'heure.

– Niaiseux, fit-elle en lui adressant un sourire.

– Non. Nostalgique, répondit Marc.

Aline pointa un bras de l'autre côté de l'intersection.

— Tiens, ton sprint t'a mené à la salle de pool. C'est la grosse annonce de pepsi là-bas.

— Yé ! Tu viens jouer ? C'est ma tournée.

Sans attendre de réponse, Marc l'avait agrippée par un bras et entraînée à sa suite. Aline voulut résister, mais l'enthousiasme de Marc était contagieux. Après tout, peut-être la salle était-elle déserte à cette heure-ci.

Or, ils avaient à peine franchi l'entrée que les craintes d'Aline se matérialisèrent. Une partie de la bande de crétins se tenait autour de la table de billard. Au bruit de la porte qui se fermait, trois visages se tournèrent vers eux.

— Tiens tiens, si c'est pas la Brodeur. Qu'est-ce que tu fais ici ? T'es pas en train de torcher ta momie ?

Aline fit mine de l'ignorer et marcha vers les machines à boules, au fond de la salle.

— J't'ai posé une question, bébé.

— Moi, je t'ai pas parlé, Saint-Jacques, rétorqua Aline sans même le regarder.

— Ouuuu, la belle Aline est de mauvais poil. Attention les gars !

Denis Saint-Jacques était le type même du parfait idiot qu'Aline ne pouvait sentir. Et comme il possédait les plus gros bras du village, il faisait la loi en toute impunité et entraînait les autres à sa suite, même le rouquin, là, Yvan, qui pourtant semblait plus brillant que les autres. La preuve : les remarques du gros l'avaient fait grimacer.

Marc se colla contre Aline.

– C'est qui, ces mongols-là ? chuchota-t-il.

– Seulement ça, des mongols. Occupe-toi pas d'eux.

Saint-Jacques s'approcha à son tour.

– Qu'est-ce qu'il a dit, le ti-cul, là ? cracha-t-il en pointant Marc du doigt.

– Rien pour toi, mon gros, répondit Marc, en se plaçant entre Aline et Saint-Jacques.

– Veux-tu que je t'en fasse un gros dans la face, moi ?

Un lourd silence s'abattit sur eux. La tension monta rapidement, jusqu'à ce qu'une voix nasillarde éclate dans la salle :

– Envoye, Saint-Jacques, c'est à ton tour de jouer !

Pendant une fraction de seconde, les regards d'Aline et d'Yvan s'étaient rencontrés. De sa queue de billard, il désigna la table à Saint-Jacques en s'approchant d'eux.

– OK, viens-t-en, Marc, on les a assez vus.

Aline l'entraîna vers la sortie. Yvan s'était interposé sans dire un mot, sa flamboyante chevelure épargnant à la jeune fille la vue de la face de bulldog de Saint-Jacques.

– C'est ça, la Brodeur, va t'occuper de ton cadavre à roulettes ! cria néanmoins le gros.

Le sang bouillait dans ses veines, mais Aline demeura impassible, continuant sa route comme si de rien n'était. Dans sa main, elle sentait celle de Marc toute crispée. Elle était sûre qu'il n'aurait pas demandé mieux que de balancer son poing au visage de Saint-Jacques, ce qui aurait entraîné une riposte des trois imbéciles.

— Du bien bon monde... lança Marc.

— Des trous de cul, oui.

— Bah, il y en a des pires que ça à Montréal. Mais de quoi il parlait, le gars, cadavre à roulettes?

— Il faudra bien que je te présente Pepére. Il est très gentil, mais un peu absent.

— Ton grand-père?

— Oui. C'est surtout moi qui m'occupe de lui.

— Ah bon! Dis, ils sont toujours à la salle de pool, ces gars-là?

— C'est presque leur quartier général.

— T'aurais dû me laisser lui botter le cul, dit Marc en soupirant.

— T'aurais eu toute la bande sur le dos.

— Y a rien là. À Montréal, tu sais...

— Oui oui, je sais, à Montréal...

Marc baissa la tête et sourit.

— C'est vrai que je suis fatigant avec ça. Désolé. Espérons que ça va me passer.

— J'en suis sûre.

Pendant le trajet du retour, le long de l'avenue Royale, Marc la fit rire à plusieurs reprises. Il avait un commentaire à faire sur tout ce qu'elle lui montrait, une maison qui ressemble à un gros insecte, un terrain vague qui a l'air de s'ennuyer à mourir, un hangar qui souffre de rhumatismes. Il parlait sans arrêt et semblait aimer que leurs regards se fondent l'un dans l'autre pendant quelques furtives secondes. Aline aussi, d'ailleurs. Cela lui faisait comme une petite décharge électrique chaque fois, un moment qu'elle aurait aimé prolonger si ce n'avait été de sa crainte de rougir.

Marc était un moulin à paroles, mais il n'était pas aussi distrait qu'elle, et c'est avec un large sourire qu'il lui fit remarquer qu'ils étaient en train de dépasser la rue de l'Érablière.

— À moins que tu n'aies autre chose à me montrer par là, dit-il.

— Pas vraiment. Les maisons sont plus éparpillées par là, c'est le bout de Saint-Thomas.

— Ah! dommage…

Dommage pourquoi? pensa Aline. Dommage qu'il n'y ait plus rien dans cette direction, ou dommage que ceci signifie la fin de leur promenade? Elle brûlait d'envie de lui demander des détails. Mais il valait mieux qu'elle le découvre par elle-même. Déjà, elle penchait pour la deuxième possibilité.

Ils prirent la rue de l'Érablière, d'un pas plus lent, comme si tous deux voulaient prolonger ce contact. Ils passèrent devant les vieilles maisons, puis arrivèrent en vue des constructions neuves. Au-delà, le champ, la forêt.

— Il est temps que j'aille préparer le repas de Pepére, dit Aline, après s'être immobilisée devant chez elle. Et ma mère ne devrait plus

tarder à revenir. On se revoit demain ? Marc ?
Marc ?

Marc, qui pendant des heures n'avait eu
d'yeux que pour elle, lui tournait maintenant
le dos. Il se tenait immobile, ne disait plus un
mot et regardait vers la forêt.

– Marc ?

Elle se déplaça de quelques pas, le contourna. Il ne réagit pas. Ses yeux demeuraient
totalement fixes, deux beaux grands lacs, ex-
traordinairement limpides, à la surface calme.
Aline chercha du regard ce qui pouvait bien le
subjuguer ainsi, mais ne vit rien de notable,
aucun mouvement du côté de la forêt, là-bas.
Elle le prit par l'épaule. Il sursauta.

– Hein ? Quoi ?

– Qu'est-ce qui t'arrive ? T'es dans la lune ?

Le regard de Marc se promena des arbres à
Aline à quelques reprises, puis s'abaissa vers le
sol.

– … rien, rien, excuse-moi, bafouilla-t-il.
Je dois être fatigué. J'avais cru entendre
quelque chose… Tu disais ?

– On va se revoir demain ?

Toujours cette fixité dans le regard.

– Oui, oui, bien sûr…

Aline esquissa le geste de l'embrasser, mais
se retint. Plus tard.

– À demain, murmura-t-elle en lui touchant un bras.

– … à demain, répondit-il avec une seconde de retard.

Aline rentra. Elle se rendit à l'arrière de la maison saluer Pepére et s'assurer qu'il n'avait besoin de rien. Elle retourna à l'avant, souleva le rideau, et regarda vers le bout de la rue.

Marc était à mi-chemin de chez lui, immobile au beau milieu de la rue, la tête tournée en direction de la forêt.

Chapitre 3

— VOUS AIMEZ ça, hein Pepére ! un petit tour en ville ?

Pas de signe des yeux cette fois. Même que, de façon très subtile, ses sourcils étaient froncés. Enfin, probablement que personne d'autre qu'Aline ne l'aurait remarqué, mais pour elle c'était évident ; Pepére filait un mauvais coton ce matin. Son sommeil avait été marqué de gémissements et de grognements. Aline en savait quelque chose, puisqu'à trois reprises elle était allée le voir pendant la nuit.

— Je pense que tout est prêt, dit sa mère en descendant l'escalier, un sac de toile à la main.

Aline alla chercher prendre le fauteuil roulant. Elle prit le temps de jeter un coup d'œil par la fenêtre vers le bout de la rue, puis sourit. Marc était à l'extérieur, en train d'empiler des boîtes vides au bord de la rue. Il regarda brièvement vers chez elle, retourna à l'entrée prendre d'autres boîtes, fit encore le trajet jusqu'à la rue. Quand il n'y eut plus de boîtes à l'entrée de la maison, Marc demeura à l'extérieur, tournant en rond.

— Aline ? Tu viens ? dit sa mère. Je ne tiens pas à être en retard à la clinique et à devoir y passer toute la journée.

— J'arrive.

Elle fit rouler le fauteuil jusqu'au sofa, où Pepére attendait, immobile.

— Un coup de main ? demanda sa mère.

— Je suis mieux placée si je suis seule, rétorqua-t-elle. Mais tiens-moi la chaise roulante, s'il te plaît.

Elle prit l'homme rabougri sous les aisselles et le souleva du sofa, puis le déposa sur le fauteuil roulant.

— On dirait que ça te demande de moins en moins d'effort, remarqua sa mère en souriant.

— Pepére veille à ma santé, hein Pepére ? fit Aline en adressant un clin d'œil à son grand-père.

Pas de réponse ; les yeux délavés de Pepére demeuraient immobiles. Pourquoi diable était-il si grognon tout à coup ?

— Bon, on y va.

Elle poussa le fauteuil vers la sortie. Si jamais Marc trouvait un prétexte pour s'approcher lorsqu'il la verrait dehors, ce serait bon signe. Très bon signe. Aline souleva l'avant du fauteuil pour franchir le seuil, puis le fit rouler jusqu'à la voiture. Elle installa Pepére sur la banquette, puis vit du coin de l'œil Marc qui approchait. Elle vit aussi que sa mère, au volant, l'avait remarqué. Celle-ci lui adressa un sourire, un signe de la main, après quoi elle fit démarrer la voiture et recula dans la rue.

À ce moment, Marc parvint à ses côtés, tout sourire. La voiture commença à avancer lentement. Aline la regarda partir. Soudain, ses yeux se rivèrent sur Pepére. Elle eut l'impression qu'il faisait un effort désespéré, qu'il tentait de compenser le mouvement de la voiture pour regarder Marc.

– Hein ! souffla-t-elle.

Non, ce n'était pas possible. Pepère ne bougeait plus par lui-même depuis des années. Aline secoua la tête.

– Quoi ? fit une voix près d'elle. Qu'est-ce qu'il y a ?

La seule chose que Pepére pouvait bouger, c'était ses yeux, si expressifs qu'Aline comprenait tous les signes qu'il lui envoyait, contrairement aux autres qui ne voyaient en lui qu'une espèce de vieux légume. Mais de là à bouger la tête…

– Youhou…

La voiture disparut au coin de l'avenue Royale.

– Oh… salut, lâcha-t-elle, encore secouée par ce qu'elle avait cru voir.

– Bonjour chère voisine. Je me demandais si vous ne pourriez pas me prêter un peu de lait pour le café.

– Mais certainement. C'est pour vider où, cher voisin ?

— Ici, rétorqua-t-il en ouvrant grand la bouche.

Marc fit un visible effort pour garder son sérieux, mais finit par pouffer de rire. Aline l'imita.

— Pis, comment ça va ? questionna Aline, qui s'était retenue d'ajouter « mon chou ».

— Pas trop mal. J'ai même fait des rêves, et ça m'arrive pas si souvent. Des rêves de fous, évidemment. Ça doit être l'air de la campagne.

— Comme ça, t'as bien dormi ?

Elle trouva sa question un peu idiote, mais c'est tout ce qu'elle avait trouvé à dire.

— Ah oui. Y a pas grand-chose pour me réveiller ici. Chez nous, à Mmm…

— Quoi ?

— Rien, rien.

— Tu parlais de café. Je connais un endroit où il est déjà prêt. Juste là, ajouta-t-elle en l'entraînant à l'intérieur.

— C'était ton grand-père, dans la voiture ?

— Oui, avec ma mère. Une fois par mois, elle l'emmène à la clinique pour une batterie de tests.

— La santé n'est pas bonne ?

— Il n'est plus autonome depuis très longtemps. En fait, je ne l'ai jamais vu marcher ni même bouger. Mais pour le reste, ça se maintient. Les gens pensent qu'il n'a plus sa tête, mais c'est parce qu'ils le connaissent mal. Combien de sucre ?

– Deux fois. Merci. Tu l'aimes bien, pas vrai ?

– C'est peut-être mon meilleur ami, dans le fond. Et, tu sais, il a déjà été un héros à Saint-Thomas, dans l'ancien temps.

– Pis, as-tu encore des choses à me montrer en ville aujourd'hui ?

Aline remua lentement son café, en regardant distraitement par la fenêtre, bien consciente que Marc ne la quittait pas des yeux.

– Rien de bien fameux. Par contre, ce que moi j'aime le plus, c'est de m'offrir une belle promenade en forêt. Ça te tente ?

Marc ouvrit tout grand les yeux.

– Dans la forêt ? Mais il n'y a rien, là-dedans ! Du foin pis des arbres !

Aline sourit.

– Pas de trottoirs, pas d'autobus, pas de béton, je sais. C'est pas comme…

– Ouais, passons.

– Mais si tu sais regarder, il y a plein de belles choses.

– Comme quoi ? Des crottes d'ours ?

– T'as qu'à venir voir. Avec moi.

La réaction de Marc la surprit. Il s'était redressé et avait vidé son café d'un trait.

– J'dis pas non, articula-t-il, pendant qu'une coulisse brunâtre s'étirait sur son menton.

– Euh… ben on y va.

Elle avait quelques corvées à faire dans la maison, mais bon, elle pourrait toujours s'y mettre à son retour, quitte à devoir travailler comme une folle. Ça en valait bien la peine, pensa-t-elle en regardant Marc, prêt à partir. Aline vida son café, prit sa clé sur la petite table, et précéda son compagnon jusqu'à la porte.

Comme ils marchaient lentement vers le bout de la rue, des éclats de voix leur parvinrent. Quelques adolescents, au coin de Royale et de l'Érablière, leur criaient après et semblaient s'amuser. Marc s'était retourné et les fixait, poings serrés.

— Laisse-les faire, dit Aline. Viens.

— On dirait vraiment qu'ils ne t'aiment pas.

— C'est probablement parce que je ne les aime pas.

— C'est pas bête comme raisonnement. Mais comment peut-on ne pas t'aimer ?

Aline lui sourit, puis s'enhardit jusqu'à poser une main sur la joue de Marc. Encore un petit choc électrique.

— C'est gentil, confia-t-elle.

Après être passés devant chez Marc, ils enjambèrent une clôture et cheminèrent à travers les hautes herbes du champ qui les séparait de la forêt. Aline vit Marc se retourner à quelques reprises vers le village, comme s'il s'apprêtait à quitter le seul monde qu'il connaissait jusque-là. Ceci l'amusa, mais elle se garda d'émettre des commentaires. Marc était du reste tout à fait capable de meubler le silence à lui seul, tantôt évoquant les espaces verts de Montréal, minuscules en comparaison de ce qui l'entourait maintenant, tantôt pestant contre les innombrables bestioles qui devaient peupler la forêt.

Mais lorsqu'ils franchirent la ligne des premiers arbres, Marc devint silencieux. Il observait, apparemment impressionné.

Comme la promenade semblait lui plaire, Aline décida de l'emmener jusqu'au ruisseau où elle-même aimait tant s'arrêter pour de longs moments. Cela demandait une bonne demi-heure de marche sur le sol spongieux. Le silence de la forêt n'avait rien d'une absence de bruits, mais tous les sons qu'on y entendait étaient doux, bruissement des feuilles, chants des oiseaux, appels des siffleux. Même leurs pas étaient presque étouffés, du moins sur les petits sentiers qui serpentaient entre les arbres. Ces derniers formaient une voûte au-dessus de leur tête qui empêchait les bruits extérieurs de venir troubler cette paix, tout en conférant une espèce d'intimité et un éclairage légèrement tamisé aux promeneurs.

Marc n'avait rien d'un coureur des bois, mais il savait faire preuve d'une grande agilité lorsque, quittant un sentier, ils devaient sauter des souches ou enjamber des arbres gisant en travers de leur chemin. Plus d'une fois, il tendit une main à Aline pour l'aider à franchir un obstacle, main qu'elle s'empressait d'accepter même si elle n'en avait nullement besoin.

Parvenus au sommet d'une pente, ils s'immobilisèrent pour reprendre leur souffle. Pendant une seconde, leurs regards se soudèrent l'un à l'autre.

— C'est le fun, haleta Marc.

— Entends-tu?

D'en bas, un peu plus loin, leur parvenait le chant du ruisseau.

— Une rivière?

— Presque. Un vrai beau petit coin. Mon coin à moi toute seule, fit Aline en lui adressant un clin d'œil. Tu viens voir?

— OK.

Marc partit devant elle et dévala la pente à vive allure, tellement que pendant un instant, Aline le perdit de vue. Elle glissa en voulant aller trop vite et parcourut quelques mètres sur les fesses. Lorsqu'elle le rejoignit, il était déjà au bord de l'eau, à regarder le courant dévier contre les roches.

— En début de soirée, dit Aline, on peut voir des truites sauter hors de l'eau pour attraper des mouches.

— Pété… déclara Marc en laissant courir son regard le long de la berge.

Aline s'accroupit au bord de l'eau et fit tremper ses mains pour en déloger la terre, puis frotta l'arrière de ses jeans.

— Maudit! j'en ai plein sur le derrière! Marc, tu pourrais m'aider?

Pas de réponse. Elle se tourna. Marc s'était mis à marcher vers l'ouest, d'un pas mécanique, le corps droit comme un arbre.

– Hé ! Marc, où tu vas ? cria-t-elle en se redressant.

Pas de réponse. Elle s'élança à sa suite. Une pensée traversa son esprit. Non ! pas par là ! se dit-elle. Elle accéléra, le rejoignit, haussa les sourcils. Marc avait cette fixité dans le regard qu'elle avait remarquée la veille.

– Marc ?

Pas de réponse.

Elle se planta devant lui et le saisit par les épaules.

– Marc ? Qu'est-ce qu'il y a ?

Il cligna des yeux.

– … rien, j'allais voir par là. J'aime bien me promener en forêt.

– Mais pas par là. Il n'y a rien là-bas.

– Je ne vois pas ce qu'il y aurait de moins là-bas qu'ailleurs autour.

Son moment d'égarement était passé. Ou en tout cas c'est ce que laissait croire son petit sourire en coin. Qu'avait-il donc eu ? Ça lui arrivait souvent ?

– Es-tu malade, Marc ?

– Non, je voulais juste marcher dans cette direction.

Aline se mordit les lèvres. Comment lui expliquer ?

– Écoute, personne ne va se promener de ce côté.

– Quoi, y a des bêtes sauvages ? Des cannibales ?

– Oh ! ris pas de moi, fulmina-t-elle. C'est déjà assez dur à expliquer comme ça.

Marc haussa les mains, l'air désolé.

– Bon, bon, je vois que tu es sérieuse. Alors, c'est quoi le problème ?

Elle le prit par la main. Ensemble ils revinrent sur leurs pas.

– Tu te rappelles, tout à l'heure, je t'ai dit que Pepére avait été autrefois une espèce de héros local, exposa-t-elle alors qu'ils gravissaient la pente en serpentant entre les arbustes.

– Oui, mais tu n'as pas insisté là-dessus. C'était quoi ? Un champion coupeur de bois ?

– Non, Pepére était cultivateur, comme la plupart des gens du coin dans ce temps-là. Mais il a sauvé le village d'un grand danger.

– Un grand danger ?

– Oui, et ça a rapport avec ce qu'il y a là-bas.

– Mais vas-tu me le dire, ce qu'il y a là-bas ?

Au sommet de la pente, Aline invita Marc à s'asseoir sur une grosse roche et prit place à ses côtés.

– Dans cette direction, il y a le domaine des Bouchard.

– Pis ? C'est privé ?

– Il n'y a plus de Bouchard depuis quelque chose comme soixante-dix ans.

– Alors où est le mal ?

– Le mal, c'était les Bouchard.

La tête de Marc sembla rentrer dans ses épaules.

– Comment ça ?

Il la regardait un peu de côté, apparemment très intéressé.

— Écoute, déclara Aline, je ne sais pas grand-chose à ce sujet, mais les Bouchard étaient détestés au village. D'après ce que j'ai pu en entendre dire, ils n'étaient pas catholiques, et c'était très mal vu dans le temps. On dit qu'ils s'adonnaient à la sorcellerie, qu'ils faisaient des expériences affreuses.

— Eh ! votre folklore a l'air pas pire !

Aline choisit d'ignorer cette boutade.

— Un jour que nous nous promenions en forêt et que j'avais voulu me diriger de ce côté, ma mère m'a raconté qu'à cette époque, des enfants avaient disparu, qu'il y avait eu des bruits bizarres dans la forêt pendant la nuit, et que des paysans en colère avaient pris d'assaut le domaine des Bouchard, avec le curé à leur tête. Elle-même n'était pas née à cette époque. Pepére était l'un de ceux qui avaient décidé d'organiser cette... cette expédition.

— Ça a bardé ?

— ... ça a bardé.

— Curieux, cette histoire, dit Marc, pensif. Ça ressemble à un vieux film d'horreur en noir et blanc.

— En tout cas, personne ne va se promener dans les environs du domaine Bouchard.

— Bon. Je voudrais pas me mettre à dos les gens du village. J'irai pas.

— Tu sais, le souvenir de ces événements a presque disparu. Seuls les plus vieux les connaissent bien. Les autres savent vaguement qu'il ne faut pas aller là, c'est tout.

— As-tu l'heure ?

— Non, mais l'après-midi tire à sa fin.

— On rentre ? Je commence à avoir un petit creux.

— Bonne idée. Et puis j'avais promis à ma mère de remplacer trois moustiquaires déchirées avant son retour.

— T'es bricoleuse ? questionna Marc qui s'était levé et massait le bas de son dos.

— J'ai bien des talents cachés, répondit Aline avec un clin d'œil.

— T'as aussi les fesses brunes, à ce que je vois.

— Oh ! c'est vrai, j'ai fait un bout sur le derrière tout à l'heure ! Tu pourrais m'enlever ça ?

Marc hésita.

— C'est pour une bonne cause.

Timidement, il tendit une main vers les fesses d'Aline et frotta, sans trop appuyer.

— Il faudrait de l'eau, dit-il.

— Bon, soupira-t-elle, je ferai ça à la maison. Merci quand même.

— Tout le plaisir était pour moi.

Aline garda sa réponse pour elle. Elle prit Marc par la main, et ils partirent vers le village.

— Je vais te montrer un chemin plus rapide.

＊

Ils marchaient sur la route 37, s'échangeant à l'occasion un regard, un sourire, un mot. La route était déserte, et Aline aimait bien ce décor, cette promenade. C'était un de ces petits moments qu'elle aurait tant aimé pouvoir prolonger indéfiniment. Rien n'aurait su altérer cette espèce de sourire intérieur qui la réconfortait, pas même le bruit de moteur qui se manifesta au loin devant eux, rompant le silence. Un point blanc se rapprochait. Un camion.

Marc regardait souvent du côté de la forêt. À un moment, sa tête resta tournée pendant qu'il continuait de marcher en silence. Il obliqua sensiblement vers le milieu de la chaussée, sans même s'en apercevoir. Aline s'en amusa. Le bruit de moteur augmenta de régime. Le conducteur avait rétrogradé. Le camion blanc et carré accélérait, à cheval sur la ligne médiane. Elle regarda brièvement Marc, toujours tourné vers la forêt.

Il y avait quelque chose d'inquiétant dans la façon dont ce camion approchait, car c'était loin d'être le véhicule idéal pour faire de la vitesse. Et pourtant, le moteur rugissait de plus en plus fort. C'était une roulotte motorisée, du genre Winnebago. Son allure était en tout cas anormale, et Aline de nouveau se tourna vers son compagnon.

– Marc, tasse-toi ! Regarde ce qui s'en vient.

Il était complètement dans la lune.

– Marc ! cria-t-elle, vite !

Aline se tassa sur l'accotement de gauche. Le camion roulait droit sur le jeune homme.

Elle allait crier encore, mais trouva mieux. Elle ramassa un caillou à ses pieds et le lança violemment dans le dos de Marc, qui sursauta. Il vit le camion, courut vers l'autre accotement. Au même moment, le lourd véhicule obliqua lui aussi vers la droite.

Il fonça sur Marc.

Le camion quitta la chaussée en tanguant dangereusement, soulevant un nuage de poussière dans lequel la silhouette du jeune homme disparut. Aline put distinguer, sur la paroi du véhicule, de longues lignes vertes, ainsi que les lettres WINNEBAGO.

Le chauffeur évita de justesse l'embardée, revint sur la route, et continua sans même ralentir.

— Marc ! hurla Aline en traversant la route à toute vitesse.

Où était-il ? Le camion l'avait-il happé ? Aurait-elle entendu le bruit du choc, s'il y avait eu collision ?

Une tête blonde émergea du petit fossé, l'air totalement hébété. Aline poussa un immense soupir. Elle rejoignit Marc, à quatre pattes au milieu de la courte pente, et s'agenouilla à ses côtés.

— Y t'a pas touché ?

— Si y m'avait touché, je serais rendu au prochain village.

Il se leva et marcha jusqu'à la chaussée. Le camion avait disparu.

– On se demande où il a pris son permis de conduire…

– Marc, fit Aline en regardant ses magnifiques yeux clairs, t'as rien vu, hein ? C'était pas une maladresse du chauffeur. Le camion a foncé sur toi.

Chapitre 4

B IENTÔT, le soleil se lèverait. Imperceptiblement, les ténèbres s'étaient dissipées, les formes étaient apparues.

Marc était étendu sur son lit. Une petite douleur dans le dos lui rappelait constamment qu'un sans-génie de chauffeur avait failli le frapper la veille. Mais rien d'autre. Il reposait dans un silence total, son casque d'écoute posé près de lui. La stéréo éteinte, l'ordinateur aussi. Il regardait sa fenêtre, il regardait la pénombre, mais celle de dehors, car devant sa fenêtre il n'y avait plus de couverture. Elle gisait par terre, au milieu de la pièce.

La respiration de Marc était lente. Parfois même il s'apercevait qu'elle se bloquait, comme si inconsciemment il avait cherché à écouter les bruits en provenance de la forêt, au bout du champ, encore trop sombre pour qu'il la voie. Car là-bas, les arbres dansaient lentement dans le vent. Ils dansaient pour Marc, l'appelaient, lui faisaient de grands gestes de leurs branches majestueuses pour l'inviter à venir se fondre parmi eux. Bientôt, il ferait assez clair pour qu'il les aperçoive.

Marc savait qu'il devait répondre à l'invitation. Mais pas maintenant, car le moment n'était pas venu. Chaque chose en son temps, et l'instant privilégié pour aller rejoindre la forêt était déterminé depuis très longtemps. Bientôt, bientôt.

Puis il ferma les yeux, et toute sensation disparut. Les arbres s'étaient tus avec l'arrivée du jour. Marc se demanda s'il avait rêvé ces choses étranges. Puis il les oublia.

✱

Pepére enfin s'était endormi. L'aube filtrait à travers les rideaux de la chambre, juste assez pour éclairer la silhouette de son maigre corps immobile, tout juste assez gros pour faire une bosse sous les draps. Son sommeil, de toute évidence, n'avait rien de reposant. Sa respiration était bruyante, saccadée et irrégulière, tandis que ses yeux roulaient sans arrêt sous ses paupières closes.

Installée à la petite table dans un coin de la chambre, le regard perdu à la surface de son café, Aline tentait de s'insuffler un peu d'entrain, exercice particulièrement ardu au lendemain d'une nuit presque blanche. Quelques minutes de sommeil, gémissements de Pepére. Sommeil, Pepére. Sommeil, Pepére. Puis, cris de sa mère, un cauchemar. Puis Pepére encore. Une nuit d'enfer.

Quand Pepére ne dormait pas, Aline ne dormait pas. Elle n'avait rien à redire ; elle aimait son grand-père, ressentait un mélange de pitié et de respect pour lui, et ne voulait pas qu'il se sente abandonné ou qu'il soit malheureux.

Mais voilà, Pepére avait habituellement un sommeil imperturbable. Rien ne pouvait le déranger. Que lui était-il arrivé cette nuit ? À chacune de ses visites, elle l'avait trouvé les yeux exorbités, et même la lumière de la lampe ne les avait pas fait ciller. Dans l'état où il se trouvait, les messages de son regard étaient désordonnés, et Aline n'avait aucune idée de ce qu'il avait, ou de ce qu'il cherchait à lui faire comprendre. Heureusement, les premières lueurs de l'aube l'avaient calmé.

Elle s'étira longuement sur la chaise et promena son regard dans la chambre, s'attardant une seconde sur les objets qui la meublaient, le pupitre et la commode, que Pepére avait possédés toute sa vie, et le gros hibou naturalisé qui lui avait tant fait peur quand elle était toute petite. Aline détailla ensuite les photos sur la commode et les murs, dont plusieurs représentaient des ancêtres qu'elle n'avait pas connus. Les femmes en particulier, qui portaient des coiffures et des chapeaux qu'elle-même n'aurait pas détesté essayer. Au-dessus de la porte, un gros crucifix de bois veillait sur Pepére, tandis que sur le mur opposé, juste au-dessus du lit, il y avait ce curieux pendentif en argent, de forme hexagonale, orné de motifs incompréhensibles dont certains ressemblaient à des X stylisés, auquel personne n'avait jamais touché à la connaissance d'Aline. C'était l'objet le plus précieux que possédait Pepére, et Aline s'était toujours demandé en quoi il pouvait avoir de la valeur pour lui.

Elle s'étira une autre fois, jeta un dernier coup d'œil à Pepére, puis sortit de la chambre sans faire de bruit. Elle se rendit au salon, ouvrit les rideaux, s'installa sur le divan. Le sommeil la gagna alors que son visage était tourné vers la maison où habitait Marc.

❋

Plus roux que ça, tu meurs, pensa Marc. C'était flamboyant, et si Yvan avait décidé sur-le-champ de devenir punk, il n'aurait même pas eu besoin d'une teinture.

— En tout cas, t'es plus agréable à jaser que ton gros copain, dit Marc, assis sur le banc devant la salle de pool, en épongeant son front trempé de sueur.

Yvan leva les yeux au ciel et se mit à rire.

— Saint-Jacques? Appelle-le pas mon copain. C'est juste que, quand il est là, vaut mieux rire avec lui. Dans le fond, je me passerais bien de sa compagnie.

Marc se massa l'intérieur de la main, qui lui faisait mal ; il avait trop secoué la machine à boules.

— Comme ça, reprit Yvan, t'as l'œil sur la petite Brodeur ?

— Ben, elle est pas laide.

— Ça, c'est vrai. Mais c'est une drôle de fille. On la voit presque jamais dans le village. Juste à la quincaillerie, quand elle travaille.

— J'imagine que ça ajoute à son charme.

— Qu'elle travaille à la quincaillerie ?

— Non, que ce soit une drôle de fille. Mais elle est pas sortie de la journée. Je sais pas ce qu'elle fait. Quand je suis allé voir chez elle, en fin d'après-midi, sa mère m'a dit qu'elle était couchée.

— Ouais, fit Yvan en s'étirant. En tout cas, si elle a passé le même genre de nuit que moi, elle peut bien être fatiguée.

— Quoi ? T'as fait des folies ?

— Non. Mais j'ai mal dormi. Des rêves, peut-être. Je me souviens pas. Mais j'ai passé la nuit à tourner dans mon lit. Et à suer comme un cochon.

— Ça sue, un cochon ?

— Ça dépend du cochon. En tout cas, je veillerai pas tard à soir. Quelle heure il est, là ? questionna-t-il en se tournant pour regarder à travers la vitrine. Sept heures et demie. J'pense que je vais aller m'écraser chez nous.

— Moi aussi, tiens, ajouta Marc en se levant.

Le ciel se couvrait, ce qui laissait présager sinon une averse, du moins une augmentation en flèche du taux d'humidité, déjà inconfortable.

— Ben, tu viendras faire ton tour demain, que je te lance un autre défi.

— Ouais, c'est une machine trippante. C'est quoi son nom, déjà ?

— Evel Knievel.

— Mais j'ai pas envie de rencontrer Saint-Jacques ; j'arrive pas à rire avec les gros épais.

— On le voit jamais les fins de semaine. Il travaille à la ferme de son oncle, à la sortie du village. Avec les cochons, justement.

Marc sourit.

— J'aurais jamais pensé plaindre un cochon de ma vie. Ça doit être l'air de la campagne… bon ben OK pour le défi demain.

— Emmène la petite Brodeur. J'aimerais ça jaser avec.

— On verra. Salut.

— Salut.

Chacun partit de son côté. Marc remonta la rue Royale, d'autant plus lentement qu'il n'avait pas vraiment envie de rentrer chez lui. Mais que pouvait-il faire d'autre dans un si petit village ? Ah ! Montréal…

Yvan aimerait rencontrer la petite Brodeur, hein ? Un rival potentiel ? Était-ce risqué ? Peut-être pas, puisque Aline ne semblait pas apprécier la compagnie des gars du coin. Mais cela le titillerait certainement de la voir parler avec d'autres gars. Ça semblait évident qu'elle ne les connaissait que peu. Et si elle se mettait à trouver Yvan sympathique ? Ne manquerait plus que ça. Marc sourit à la pensée que, dans le fond, il voulait la garder pour lui tout seul.

Il n'était pas arrivé à la rue de l'Érablière que déjà, son cœur battait plus fort. Il étirait le cou pour voir la maison où elle habitait. Et lorsqu'il passa devant, seule la crainte d'être observé l'empêcha de s'immobiliser sur l'accotement pour scruter les fenêtres. Il soupira, puis rentra chez lui.

✳

Marc éprouva une certaine gêne en constatant que ses parents en avaient presque terminé avec les innombrables boîtes qui avaient encombré le rez-de-chaussée depuis leur arrivée. Non seulement n'avait-il guère fait sa part, mais sa propre chambre ressemblait toujours au chaos du premier jour.

Sa mère, les cheveux en bataille, vêtue d'une salopette, sortit de la cuisine avec une boîte vide à la main au moment où Marc refermait la porte. Son visage fin ruisselait de sueur.

– T'es pas venu souper ?

– J'ai mangé à la salle de pool.

– Désolé, mon vieux, ironisa son père en remontant de la cave, on t'a pas gardé de travail.

T'auras que ta chambre à ranger. Un de ces jours, j'imagine…

– J'y allais, justement, répondit Marc.

– As-tu commencé à te faire des copains?

– Pas vraiment, non. J'ai vu une voisine, par exemple…

– Inquiète-toi pas ; si t'es comme ton père, tu vas vite devenir le gars le plus populaire en ville.

– … pis elle a l'air d'être du bien bon monde.

– Je dirais que oui, à voir ton air bienheureux, plaisanta sa mère en lui adressant un clin d'œil.

– Elle habiterait pas, par le plus grand des hasards, dans cette maison que tu regardes à toutes les dix minutes quand tu es ici?

Marc sursauta. Visiblement, il avait manqué de discrétion.

– Hé hé! blagua son père en lui balançant un coup de coude, quand est-ce que tu vas nous présenter ça, cette voisine-là?

– Oui, quand? renchérit sa mère, le sourire aussi large que Courtemanche.

– Ah! lâchez-moi avec ça! rétorqua Marc, irrité. On n'est pas mariés!

Il tourna les talons et retourna vers la porte de la maison. Les parents, c'est trop curieux. Pas le moindre respect pour l'intimité des jeunes. Est-ce qu'il se mêlait de leurs affaires de cœur, lui?

Il sortit, puis alla s'asseoir au coin de la galerie, devant les derniers rougeoiements du soleil qui perçaient entre les nuages.

Son regard se promena quelques instants, puis se fixa de lui-même, sans volonté réelle de la part de Marc.

Sur les arbres, qui dansaient là-bas.

Chapitre 5

MARC cligna des yeux, puis poussa un hoquet de surprise : il n'était plus assis sur la galerie, mais debout à l'extrémité du terrain, appuyé sur la petite clôture de planches !

Il faisait plus sombre ; au-delà des nuages, le soleil s'était couché. Il regardait toujours la forêt, il entendait les arbres qui bruissaient. Non, se corrigea-t-il, il n'y avait pas de vent. Et ce bruit, alors ? C'est le cœur de la forêt qui bat. Cette pensée l'excita, et son propre cœur se mit à battre plus vite.

Sans plus réfléchir, Marc enjamba la clôture. Après avoir franchi un minuscule ruisseau, il avança dans les herbes folles du champ. Çà et là, au niveau du sol, de petites nappes de brume rampaient paresseusement, puis se tortillaient à son passage. Il s'arrêta un moment, huma l'air, tourna sur lui-même ; la brume voilait les lumières du village, en ouatait les bruits, mais la couche de nuages n'était pas si épaisse, car sans la voir, il devinait la lune au-dessus de lui. Une lueur blême donnait un peu de substance au voile vaporeux qui flottait dans l'air. Il reprit sa marche.

Il voyait, maintenant qu'il était plus près, et grâce à la lune, les cimes des arbres qui se découpaient sur le ciel sombre. Son regard s'y attarda, et Marc eut l'impression que les arbres se mouvaient, qu'ils ondulaient sur leur tronc au rythme de quelque musique imperceptible pour l'oreille humaine.

Au moment précis où il franchissait la lisière de la forêt, un ouragan de sensations le traversa. L'atmosphère n'était plus la même, non plus que les odeurs ou les sons. Marc sentait que son propre rythme intérieur changeait; il venait de quitter celui des hommes et se liait maintenant à celui de la nature, origine de toute chose. La forêt n'était pas une multitude, mais une seule entité, une présence qui l'entourait de toute part. À chaque nouveau pas, elle avalait Marc un peu plus, le coupant du monde des hommes, reléguant les bruits du village au rang de simples souvenirs. Même le son de sa marche était étouffé par le moelleux tapis d'humus, un son régulier, monotone, hypnotisant, comme le bruit assourdi d'un battement de cœur au ralenti.

Il y eut un mouvement brusque tout près de lui, quelque chose passa juste au-dessus de sa tête. Marc, crispé sur place, poussa un juron. Qu'est-ce que c'était? Un oiseau? Oui, sans doute. Hibou, peut-être. Il scruta les alentours, mais ne vit que les silhouettes sombres des arbres. Partout. Où était-il, maintenant ?

À cause de la quasi obscurité, il ne reconnaissait absolument pas les lieux. Il lui était impossible de dire s'il se trouvait près de l'endroit qu'il avait visité avec Aline. Où qu'il portât son regard, le paysage restait le même. Pourquoi était-il venu ici ? Pourquoi ? Et combien de temps avait-il marché ? Il réfléchit. Il n'arrivait pas même à se souvenir du moment où il avait quitté la maison. Ses souvenirs étaient noyés dans un flou.

Marc dut se rendre à l'évidence : il n'avait aucune idée de la direction du village. Il était seul, dans les ténèbres, perdu.

Comme son regard embrassait les alentours, la peur noua son estomac.

Il ne pouvait rester planté là. Écouter. Il devait écouter, chercher à travers les bruissements des sons en provenance du village. C'était le seul moyen de s'orienter. Il s'appuya sur un arbre et sentit l'écorce frémir sous sa main. Ou était-ce sa main qui tremblait sans arrêt ?

N'avait-il pas eu l'impression de suivre un sentier auparavant ? Rien de tel ne s'offrait pourtant à sa vue, comme si les arbres avaient dissimulé le sentier pour confondre Marc, pour lui bloquer le passage, pour le garder parmi eux. Les branches ne s'étaient-elles pas abaissées depuis tout à l'heure ? N'y avait-il pas des mouvements furtifs un peu partout dans les ténèbres ? Non, bien sûr que non. Il s'imaginait des choses parce qu'il était tout seul, parce qu'il faisait noir.

Parce qu'il avait peur.

Bouge.

Marc partit vers sa droite. Une vingtaine de pas plus loin, il se ravisa. Le village devait plutôt se trouver vers la gauche. D'ailleurs, s'il se fiait à l'arbre où il s'était appuyé… Celui-ci ? Ou celui-là ? Ou n'importe lequel parmi tous les autres ? Il faisait trop sombre ; les arbres se ressemblaient tous. Pour peu, il aurait cru que leur disposition avait changé pendant qu'il avait le dos tourné. Marc se prit la tête à deux mains, regarda encore, fit un tour sur lui-même, puis plusieurs autres, jusqu'à perdre la notion de ce qui l'entourait. Les silhouettes sombres et bruissantes, les buissons, les lambeaux de brume au ras du sol, les timides rayons de la lune qui filtraient entre les cimes, tout cela se confondit devant ses yeux.

Puis il s'immobilisa. Dans sa tête, comme une lumière dans la nuit, une pensée venait de se matérialiser, claire et nette.

Par là.

Marc se mit en marche, soudain tout à fait calme, mais attentif aux petits bruits qui jaillissaient çà et là, craquements secs ou feuilles agitées. Il voyait un peu mieux que tout à l'heure. Les nuages étaient en voie de se dissiper ; tant mieux, il n'y aurait pas d'averse cette nuit. La lune était presque pleine.

Elle le sera très bientôt.

Pendant longtemps, il marcha sans que le moindre indice vînt lui confirmer qu'il allait dans la bonne direction. Il gardait son regard droit devant, sur les lambeaux de brume qui serpentaient sur le sol, car dès qu'il observait les alentours, il croyait sans cesse discerner du mouvement dans les buissons et les branches basses.

Il remarqua une lueur par-delà les arbres. Un éclat très faible, verdâtre, tout juste assez pour qu'il se dise qu'il arrivait enfin à destination.

Marc allongea le pas, trop heureux de quitter la forêt pleine de bruits inquiétants. Il aurait même couru n'eût été le risque de trébucher sur une souche ou une plante quelconque.

La lueur devenait plus nette. Il y était presque, lorsqu'un détail s'imposa à lui : il ne percevait toujours aucun son en provenance du village. Tout le monde doit dormir, pensa-t-il.

Quelques minutes plus tard, Marc déboucha dans une clairière, et ses illusions furent brutalement dissipées. Il n'était ni au village, ni au bout de ses peines, loin de là.

Une antique maison en pierre des champs se dressait dans la clarté lunaire, au centre de la clairière. C'était une construction imposante, robuste, à trois étages. Son toit incliné avait perdu sa corniche. Le côté qui faisait face à Marc était percé de cinq fenêtres, deux au rez-de-chaussée, deux à l'étage, et la dernière en plein centre, juste sous le pignon du toit. Une énorme cheminée se dressait à l'autre bout de la maison, qui ressemblait à une bête gigantesque tapie dans la clairière, prête à bondir sur celui qui passerait à sa portée. Partout autour, la forêt.

Marc eut à ce moment une certitude : il avait devant lui la maison Bouchard.

Son attention fut attirée vers la droite. C'était de là que provenait la lueur verte, qui colorait les nappes de brume et la façade de la maison. De sa position, Marc distinguait à cet endroit une petite construction bombée, presque au ras du sol.

Il passa devant la maison, mais à distance respectueuse, tout en scrutant l'allée envahie d'herbe qui menait à l'entrée, la porte enfoncée, les fenêtres cassées. Cette maison était abandonnée depuis bien longtemps.

Après avoir contourné une grosse pierre, plate et rectangulaire, qui gisait au milieu de la place, il parvint près de la construction d'où émanait la lumière verte. Il s'agissait d'un caveau de forme arrondie, dont l'entrée était fermée par une grosse grille. Un caveau de famille, pensa-t-il en frissonnant. Sa curiosité le poussa jusqu'à la grille, où il tenta de regarder à l'intérieur, pour voir la source de cette lueur. Il ne vit qu'un bout de couloir grossièrement taillé à même la terre, qui bifurquait au bout de quelques mètres.

Marc se sentait étourdi. La fatigue commençait à faire son œuvre et il se dit qu'il était temps d'essayer de retourner au village. Et puis, cet endroit lui donnait la chair de poule. Qu'est-ce qui pouvait bien luire dans un caveau abandonné depuis si longtemps ? Rien de bon pour lui, c'était certain. Il regarda l'ensemble de la clairière. Cette maison était franchement sinistre, et pas seulement à cause de l'inexplicable lueur verte. Pourquoi Aline ne lui en avait-elle pas parlé ?

Le tour qu'il fit sur lui-même augmenta son étourdissement et il dut s'appuyer sur la grille pour éviter de perdre l'équilibre. Il nota alors, outre le mécanisme de fermeture rouillé de la grille, un autre dispositif qui la bloquait. Un crochet. Un simple crochet ! D'après ce que la lueur verte lui permettait de voir, il avait le même reflet que les bijoux en argent de sa mère, et des dessins bizarres étaient gravés sur toute sa surface. Une chaîne longue mais fine était fixée au crochet, dont la pointe traversait deux œillets apparemment faits du même métal. La chaîne serpentait dans quelques anneaux du grillage et son autre extrémité semblait vissée dans la paroi. Il tendit ses doigts curieux vers le crochet, qu'il déplaça légèrement en le touchant ; sa pointe était sortie d'un des œillets.

Marc soudain recula. Qu'un tel crochet serve à empêcher les curieux ou les profanateurs d'entrer dans le caveau, c'était ridicule. À quoi pouvait-il servir, alors ? Quelques mots d'Aline, ces prétendues pratiques sulfureuses des Bouchard, sorciers et assassins. Il s'éloigna encore, les yeux grand ouverts, le regard perdu dans la lueur verte qui émanait du caveau. Marc jugea tout à fait souhaitable de quitter cet endroit sans tarder. En fait, il s'étonna de ne pas y avoir pensé plus tôt.

Ses jambes flageolaient sous son poids. Tout se mit à tournoyer autour de lui, comme si la lueur verte était devenue le centre de l'univers. Fuir, il devait fuir ! Comme il allait s'élancer, ses jambes cédèrent pour de bon et Marc s'affala au sol, agitant les serpentins de brume. Il se traîna sur quelques mètres, jusqu'à la grosse pierre plate puis, à bout de force, s'y adossa.

De sa position, il voyait le caveau, la masse écrasante de la maison et les premiers arbres aux limites de la clairière, le tout baigné de l'éclat maladif qui semblait plus violent que tout à l'heure. Même la lune, très haut dans le ciel, presque ronde, était teintée de vert.

Qu'allait-il se passer ? Pourquoi n'arrivait-il plus à se lever ? La fatigue ? Même épuisé, un homme peut toujours se relever ! Il voulait partir ! Il hurla, et eut l'impression que les arbres empêchaient son cri de sortir de la clairière.

Marc tenta de ramper le plus loin possible, de se mettre à l'abri de la lumière verte, mais il se retrouva face contre terre, dans l'impossibilité de se redresser. D'amères larmes roulèrent sur ses joues.

Ses pensées s'affolaient, il était en train d'en perdre le contrôle. La lueur verte, l'obscurité hors de la clairière, le brouillard, le caveau, le crochet, tout ça allait le rendre fou. Et les arbres, là-bas, qui semblaient se pencher vers lui, l'épier. Et la pensée que ce caveau était rempli de morts, tous des Bouchard… Qui étaient ces Bouchard?

Une boule d'angoisse lui bloquait la gorge, rendant chaque déglutition douloureuse. S'il en avait eu la force, Marc se serait creusé un trou dans le sol pour s'y cacher. Se cacher de quoi? N'y avait-il pas, derrière chaque buisson, une présence cachée qui attendait le moment propice pour foncer sur lui?

Quelque chose allait se passer. C'était devenu une certitude pour lui.

Quelque chose va arriver. Plus tard. Regarde la lune.

Marc sursauta. Voilà qu'il entendait des voix. Il jeta un bref regard à la lune dans le ciel, puis au caveau, puis partout autour. Des voix. Il pressa ses mains sur ses oreilles, mais les voix étaient dans sa tête. Elles étaient douces, calmes, et s'adressaient à lui. Il se calma, ferma les yeux, oublia sa terreur.

Il laissa les voix lui raconter des choses incroyables, lui parler d'injustices du passé, et aussi d'un crochet en argent.

✳

— C'est à cette heure-là que tu rentres, Marc ?

Marc ne répondit pas. Il se dirigea vers l'escalier, mais son père se planta devant lui.

— Hé ! moi aussi j'ai déjà été jeune, mais quand je partais, j'avertissais mes parents ! Non mais, regarde-toi l'allure : t'as l'air d'un cadavre !

Tout ce que Marc voulait, c'était aller se coucher.

— J'imagine, reprit l'homme au regard sévère, que tu ne viendras pas à Montréal avec nous ?

Marc le contourna.

— Tu pourrais répondre quand je te parle ! On s'est inquiétés cette nuit, tu sais ? Pense à ta mère, pense à tes parents !

Marc se tourna vers lui.

— Vous n'êtes pas mes parents !

L'homme au regard sévère aurait dû se mettre en colère, mais il demeura plutôt bouche bée. Marc monta l'escalier.

— À notre retour, mercredi, on va avoir une petite conversation, jeune homme !

Marc entendit ensuite la voix de la femme qui arrivait de la cuisine, puis l'amorce d'une conversation animée. Il pénétra dans sa chambre, se coucha, plaqua l'oreiller sur son visage.

Chapitre 6

FIN D'APRÈS-MIDI. Aline marchait le long de l'avenue Royale. La journée de travail à la quincaillerie avait été des plus pénibles. Des erreurs dans les commandes, des clients mécontents, des employés mécontents. Elle ne se souvenait pas d'avoir vu un seul sourire de la journée, comme si le village tout entier s'était passé le mot.

Les gens qu'elle croisait sur le trottoir affichaient également un air maussade. Tout le monde en même temps ? L'idée même était grotesque, et pourtant... Même Pepére, ce matin, avait la mine sombre. Deux fois en deux jours, ce n'était vraiment pas normal. Elle tourna rue de l'Érablière.

Parvenue devant chez elle, Aline eut un moment d'hésitation, puis dépassa la maison. Elle connaissait un endroit où elle pourrait sûrement arracher un sourire à quelqu'un. Ce matin, avant d'aller travailler, elle avait vu les parents de Marc monter dans leur voiture avec une valise, et partir. Marc était donc seul.

Aline avait de bonnes chances de le trouver chez lui.

Elle frappa.

Pas de réponse. Elle recommença, un peu plus fort.

Au bout d'une longue minute, la porte s'ouvrit sur la tête ébouriffée de Marc.

— Salut Marc ! J'avais envie de... Mon Dieu que t'es blême !

— Ça doit être parce que je me lève, répondit-il sans entrain.

— Tu te lèves ? Ouais, c'est beau, la vie de pacha !

— Disons que j'ai passé une nuit agitée, articula-t-il un peu sèchement. En forêt.

En forêt ? Lui ? La nuit ? Quelle idée !

Aline sentait que sa présence agaçait Marc. Il y a des gens, comme ça, qui se lèvent de mauvaise humeur. Tiens, lui aussi, une nuit agitée...

— Alors, je vais te laisser déjeuner en paix, et moi je vais aller souper. Ça te tente d'aller faire un tour dans le bois, ce soir ?

— Mmmm... reviens vers sept heures. Salut.

Aline se retrouva le nez devant la porte, surprise. C'était bien la première fois que Marc coupait une conversation aussi brusquement. Et pas la moindre amorce de sourire. Elle partit vers chez elle, avec l'intention de revenir questionner Marc sur son attitude un peu plus tard.

Toc! Toc! Toc!

Aline piaffait d'impatience devant la porte. Depuis deux jours, c'est à peine si elle avait vu Marc, et ceci la contrariait. Tiens donc, se dit-elle, tu ne le détestes vraiment pas du tout. Elle fit tambouriner ses doigts sur la porte, se demandant si elle devait frapper encore, ce qu'elle fit quelques secondes plus tard. Marc ne répondait pas. Soupir. Il n'était pas retourné se coucher, quand même !

Aline fit quelques pas sur la galerie. Comme les parents de Marc étaient absents, elle se sentit plus audacieuse. La galerie s'étendait sur deux côtés de la maison. Aline tourna le coin, puis marcha jusqu'à la porte-fenêtre, qui faisait face au champ. Personne en vue à l'intérieur. Elle tendit la main vers la poignée, fit coulisser la porte, entra.

– Marc ? appela-t-elle timidement.

Elle fit rapidement une tournée du rez-de-chaussée, puis se risqua à l'étage. À la différence de chez elle, l'escalier de cette maison, flambant neuve, ne craquait pas, ce qui était une bonne chose. Peut-être allait-elle surprendre Marc dans son lit ? En petite tenue ? Sans couvertures ? Cette pensée l'excita, et elle ne put réprimer un gloussement.

Mais toutes les chambres étaient désertes.

Il était parti sans elle ! Sans cœur ! Pourquoi ?

Aline sentit gonfler une sainte colère en elle, aussitôt remplacée par un sentiment de tristesse bien lourd pour ses épaules. Avait-elle dit ou fait quelque chose qui avait déplu à Marc ? Avait-il rencontré une autre fille au village ? Plus belle qu'elle, plus intéressante…

Le cœur gros, Aline rebroussa chemin. Elle referma soigneusement la porte-fenêtre et marcha d'un pas traînant jusque chez elle, en interrogeant du regard son ombre allongée par le soleil couchant.

Chapitre 7

LES YEUX d'Aline s'ouvrirent sur les ténèbres. Elle porta son regard à gauche et à droite, sans noter quoi que ce soit. En fait, elle n'aurait même su dire si ses yeux avaient obéi tellement il faisait noir. Les murs autour d'elle étaient imperceptibles, et tour à tour elle put imaginer qu'elle se trouvait dans une salle aux dimensions titanesques, puis dans un placard minuscule.

Mais Aline était dans sa chambre. Elle eut l'impression d'un changement, de quelque chose qui n'était pas comme d'habitude, et ceci lui fit un drôle d'effet ; pendant une seconde, elle se raidit dans son lit. Mais n'était-ce pas une impression grotesque, puisqu'elle ne voyait rien ? En tournant les yeux, elle trouva soudain ce qui n'allait pas. La fenêtre. Elle ne discernait pas la zone plus pâle qu'aurait dû créer la fenêtre. Elle se redressa sur son lit, qui oscilla lentement sous son poids, et se tourna vers le mur de devant. Là où rien n'était visible voici un moment, commençait à se dessiner le blême contour de la fenêtre à travers laquelle elle regardait chaque nuit.

Or cette nuit, une pulsation verdâtre brillait à l'extérieur. Aline s'approcha, ouvrit la fenêtre et se pencha vers l'extérieur. La lueur était beaucoup plus forte qu'elle ne croyait, car elle provenait de loin, au-delà du champ, quelque part dans la forêt, vers l'ouest. De lourds nuages dans le ciel en étaient illuminés et donnaient l'impression d'absorber la lumière verte, de gonfler sous son effet.

Des formes gigantesques s'élevèrent d'entre les arbres. Pendant un moment, elles flottèrent dans les airs, projetant de vifs éclats olivâtres partout autour. Les contours en étaient vagues, mais les formes s'agitaient, elles variaient en volume, elles étaient vivantes et envahissaient déjà la moitié du ciel.

Aline mit quelques secondes à s'apercevoir que cela se déplaçait, car au début le mouvement était très lent. Mais bientôt, aucun doute ne fut permis, les formes se dirigeaient directement vers le village. Leur vitesse augmentait sans cesse, elles enflaient dans le ciel.

En un éclair, les formes se séparèrent et s'éparpillèrent. Un éclair intense jaillit dans la chambre, aveuglant momentanément Aline, qui se tourna vers l'intérieur. Lorsque son éblouissement se fut estompé, elle vit un monstrueux être de lumière serpenter dans les airs autour d'elle.

Le corps de la créature était en constante mutation, tantôt ressemblant à une espèce de lézard, tantôt évoquant vaguement la silhouette d'un humain. Cela se déplaçait lentement et traversait la substance des meubles comme s'il s'était agi d'hologrammes.

La créature n'émettait aucun son. La menace qu'Aline ressentait et qui la glaçait jusqu'à la moelle ne pouvait donc venir que des deux globes verdâtres et fulgurants rivés sur elle. La chose la regardait !

Aline chercha un endroit où se mettre à l'abri, ou mieux, la porte de la chambre. Elle ne trouvait pas la porte ! Il n'y avait plus de porte ! Et la chose tournait dans la chambre, et changeait si brusquement de vitesse à tout moment qu'Aline n'avait le temps d'aller nulle part. Elle restait figée au milieu de la chambre.

La créature amorça un mouvement de spirale, dont chaque tour la rapprochait un peu plus d'Aline. Il n'y avait pas que les scintillants yeux verts, il y avait autre chose… elle le percevait, comme une mauvaise vibration qui la traversait jusqu'à l'âme, une aura maléfique émanant de cette entité, un flux qui jaillissait comme une longue décharge électrique. La créature n'avait nullement besoin d'émettre le moindre son pour que ses intentions soient claires. Ce qu'elle éprouvait, tout en se rapprochant d'Aline, c'était de l'avidité, un désir pur et brut de s'emparer d'elle, de son corps, de son âme.

Elle tenta de fuir vers un mur, mais la créature fut plus rapide et se plaça sur son chemin. Aline hurla. Roula des yeux à la ronde. En évitant ceux de la chose.

Une excroissance lumineuse jaillit de la créature et vola vers Aline. La toucha. La sensation était abominable. Un corps étranger tentait de s'insinuer en elle, utilisant le moindre des pores de sa peau, qui ployait, s'étirait, se dilatait sous la poussée.

Aline eut tout à coup conscience d'une autre présence dans la chambre, et la chose cessa de traverser sa peau, puis s'éloigna d'elle, sans raison apparente.

La longue traînée verdâtre battit en retraite et s'enfuit par la fenêtre. L'autre présence qu'elle avait perçue n'était plus dans la chambre non plus, mais Aline avait eu le temps de sentir très nettement que son assaillant avait eu peur de cette présence. Elle fit quelques pas vers la fenêtre. Le plancher était mou sous ses pieds, comme si elle s'enfonçait légèrement à chaque pas.

Partout dans le village, des éclairs survolaient les maisons. Étourdie, épouvantée mais curieusement amorphe, Aline ramena son regard dans la chambre. Sur le mur qui lui faisait face, au lieu de l'ombre du quadrillage de la fenêtre, elle vit une figure géométrique remplie de symboles indistincts. Aline eut pendant quelques secondes l'impression de regarder un objet vaguement familier, mais la vision disparut aussitôt, remplacée par l'ombre de sa fenêtre.

Elle crut entendre des cris, incroyablement lointains. De plus en plus nets. Le décor autour d'elle commença à se dissoudre. La fenêtre fondit, tout comme les murs, les meubles, la chambre.

Puis Aline ouvrit les yeux.

Elle gisait en travers de son lit, trempée de sueur, et toutes ses couvertures gisaient sur le plancher. Elle attendit que les battements de son cœur reviennent à la normale, puis risqua un coup d'œil à la fenêtre. Tout était normal. Elle se frotta les yeux. Quel rêve affreux ! Elle ne pourrait jamais se rendormir après ça. Elle se leva et marcha jusqu'à la fenêtre, qu'elle ouvrit pour aspirer une bonne bouffée d'air. La nuit achevait ; une timide clarté se dessinait à l'est.

Elle descendit se préparer un café, puis sortit s'asseoir sur la galerie avant. Ses mains n'avaient pas cessé de trembler depuis son réveil, et Aline se mordillait sans cesse les lèvres. Après avoir déposé sa tasse par terre, elle se mit à jouer dans ses cheveux.

Curieusement, il y avait déjà du bruit au village à cette heure. La sirène d'une ambulance, notamment, hurlait quelque part. Au bout de la rue, au coin de Royale, quelques personnes discutaient avec animation. Une vieille femme — c'était bien madame Gagnon ? — pleurait ; Aline pouvait entendre ses sanglots. Les gens autour d'elle semblaient nerveux. Si son rêve ne l'avait pas tant secouée, elle serait allée voir de quoi il s'agissait. Mais elle n'avait le goût de parler à personne.

Une pensée jaillit dans son esprit. Aline se leva brusquement, rentra et traversa le petit couloir. Elle s'arrêta devant la porte de la chambre de Pepére, puis ouvrit.

Pepére avait les yeux grand ouverts. Très grand. Ils se posèrent immédiatement sur Aline, qui se précipita à ses côtés. Elle faillit lui chuchoter : « C'était un rêve, pas vrai Pepére ? », puis se demanda pourquoi elle avait pensé à un cauchemar. Et les mots moururent au bord de ses lèvres.

Car dans les yeux de Pepére, il n'y avait que l'horreur pure.

Chapitre 8

– C'EST PAS NORMAL, j'te dis. On dirait que tout le monde a passé une nuit d'enfer, dit Sylvie.

Aline déposa sa pointe de pizza sur la table, puis promena nerveusement son regard dans la pièce minuscule à l'arrière de la quincaillerie, où les employés prenaient leur repas.

– Penses-tu qu'il y a un rapport avec la mort de monsieur Gagnon ? demanda-t-elle enfin.

– Ça se peut. Il était vieux. Le cœur, peut-être. Pis toi, avec tes yeux pochés, t'as pas dû passer une bonne nuit non plus.

– Pas vraiment, non, répondit Aline avant de prendre une autre bouchée de pizza.

– Penses-tu que c'est vrai, ça, que si on meurt dans son rêve on meurt pour vrai ?

– Je sais pas. Mais t'aurais pas d'autres sujets de conversation ? Moi, j'ai d'autres problèmes que des rêves.

– Ah oui ? Comme quoi ?

– Ben, tu sais, le gars dont je t'ai parlé, Marc ?

– Oui oui, ton petit blond aux yeux presque transparents, fit Sylvie en s'avançant au bord de sa chaise, soudain intéressée.

– Je pense que je suis en train de le perdre.

– Qu'est-ce qui te fait dire ça ?

– Ça fait déjà quelques jours que je l'ai pas vu. On dirait qu'il m'évite.

Sa voix était devenue presque tremblotante.

– T'aurais une rivale au village ? C'est pas moi, je le jure !

– Non, je pense pas. En tout cas, je l'ai pas vu avec une autre fille.

Bien sûr que non, elle n'avait pas vu Marc avec une autre. Ce qui lui donnait l'impression qu'elle était en train de le perdre, c'était surtout son brusque changement d'attitude et de comportement, apparemment inexplicables. Cet air totalement absent qu'il affichait de temps à autre. Qu'était devenu le garçon si volubile qu'elle avait rencontré ? Il y avait autre chose qui la tracassait. Qu'allait faire Marc dans la forêt en pleine nuit ?

– Alors, reprit Sylvie, je dirais que c'est à toi de faire un effort pour le reconquérir.

Aline sourit faiblement, mais ne répondit pas. Le reconquérir. C'était facile à dire. Elle ne demandait pas mieux. Comment faire ? Voilà un exercice qu'elle n'avait jamais essayé auparavant. Soudain, un épisode sombre repassa devant ses yeux : un camion roulotte en furie qui fonce sur Marc. Aline battit des paupières, puis jeta un coup d'œil sur l'horloge murale.

– C'est l'heure d'y aller, dit-elle à Sylvie.

– Oh, mais t'as même pas mangé une pointe au complet !

– J'ai pas faim.

＊

La journée n'en finissait plus. Aline avait hâte de sortir de la quincaillerie pour s'occuper de son « projet Marc », mais en même temps elle appréhendait ce moment car elle n'avait toujours aucune idée de la façon de procéder. Sans cesse elle ruminait des idées, préparait mentalement de petits discours à lui adresser pour aussitôt les rejeter en se traitant d'idiote.

Pour rendre le tout plus pénible encore, il n'y avait presque rien à faire au magasin. À peine quelques clients avaient-ils franchi la porte depuis ce matin. Et ils étaient tous nerveux, ils avaient l'air tourmentés. Même Bruno, le patron, avait passé la journée enfermé dans son bureau.

Alors pour aider le temps à passer, Aline faisait du nettoyage. Elle époussetait, mettait de l'ordre sur les tablettes, lavait les comptoirs autour de sa caisse. Or, chaque surface qu'elle faisait luire lui renvoyait l'image d'une fille qui s'inquiète de son amoureux. Ou pire, chaque vitre passée au Windex lui montrait le reflet d'un garçon mignon comme tout, aux cheveux d'un blond immaculé et aux yeux si pâles qu'on y voyait presque son âme.

Des gens déambulaient sur le trottoir, la plupart avec le regard au ras du sol et les épaules voûtées. Le village au complet semblait d'une humeur massacrante. Une petite vieille passa devant la vitrine, son visage dissimulé dans l'ombre d'une espèce de gros bonnet de couleur sombre. Tout ce qu'elle portait, en fait, était de couleur noire. Cette femme n'était pas du village. Aline ne l'avait jamais vue. Chose sûre, elle ne semblait pas harassée comme les autres gens. Malgré son âge, elle gardait une posture bien droite. Aline fronça les sourcils. Qu'est-ce qui lui permettait de penser que cette femme était vieille ? En aucun temps elle n'avait vu ses traits, et même ses mains étaient gantées. C'était sans doute ces vêtements d'une autre époque, robe, bonnet. La vieille disparut de la vitrine.

De temps à autre apparaissait la silhouette de Sylvie au bout d'une rangée, poussant un chariot chargé de quelques caisses de marchandise qu'elle déballait, étiquetait, puis plaçait sur les tablettes.

Un mouvement de l'autre côté de la grande vitrine attira l'attention d'Aline. Le camion de la quincaillerie revenait de sa tournée de livraisons. Or, il y avait encore de la marchandise dans la boîte. Une erreur ?

Jacques, le livreur, restait assis derrière le volant, immobile, apparemment perdu dans ses pensées. Aline le vit porter une main à son visage. Cela prit une bonne minute avant qu'il n'ouvre la portière pour descendre du camion. Lentement il contourna le véhicule et marcha jusqu'à la porte du magasin. Il entra en se traînant les pieds, le dos voûté, le teint blême, l'œil hagard.

— Jacques, tu ne te sens pas bien? dit Aline en se précipitant à sa rencontre.

Les lèvres du livreur tremblèrent, mais il ne parla pas. Aline le fit asseoir sur une chaise de parterre, près de la section des accessoires de jardin.

— Qu'est-ce qu'il y a, Jacques? Qu'est-ce qui s'est passé? demanda-t-elle encore, en lui posant une main sur l'épaule.

Jacques tourna ses yeux arrondis vers elle. Il poussa un long soupir.

— Il y en avait partout dans le salon…

— Mais de quoi tu parles?

Autre soupir, tremblotant cette fois. Sylvie les avait aperçus et se rapprocha d'eux. Elle cria à Bruno en passant devant le bureau. Ils se placèrent de part et d'autre de la chaise qui supportait Jacques.

— Je suis allé sonner chez le vieux Rousseau, lui livrer sa peinture et ses madriers. Comme il ne répondait pas, je suis entré et j'ai appelé. La télé jouait dans le salon, alors je suis allé voir.

— Pis?

— Le vieux était là, partout dans le salon, en morceaux. Il y avait du sang sur le plancher, sur les murs, les meubles, partout…

Jacques se couvrit le visage avec ses mains.

— T'as appelé la police ? demanda Bruno.

— Je suis revenu tout de suite.

— Bon, on s'en occupe. Aline, tu veux appeler au poste de police et leur expliquer ? Moi, je vais reconduire Jacques chez lui.

Aline aida Jacques à se relever, puis ce fut Bruno qui le soutint jusqu'à l'extérieur. Ils montèrent dans le camion, qui démarra.

Tout s'était passé très vite, et la stupeur commençait seulement à rattraper Aline. Elle n'avait jamais vu Jacques dans cet état. Lui, une force de la nature, fier et orgueilleux... Aline avait eu pitié de lui.

Un massacre au village ! C'était impensable. Cela faisait un deuxième décès en quelques heures. Qui sait, peut-être au même moment. Deux décès, et combien de cauchemars ? Pourquoi ? Qu'arrivait-il ? Aline avala difficilement sa salive. Un pressentiment serrait sa poitrine, tandis qu'une foule d'images défilaient en elle. Une lueur verdâtre qui enveloppe le village. Une présence qui apparaît dans sa chambre. (Monsieur Gagnon meurt dans son sommeil.) Une entité dont elle ressent physiquement le contact, par-delà le mur du sommeil. (Monsieur Rousseau se fait déchiqueter chez lui.) Pepére éveillé sur son lit, le regard chargé d'épouvante.

Quelque chose s'était passé cette nuit. Et un frisson glaça le dos d'Aline ; tout au fond elle se dit que tout ça n'était pas fini, qu'il y aurait d'autres nuits d'horreur. Et qu'il fallait réagir, car le village tout entier courait un grave danger.

Puis, jaillissant du fouillis de phrases dans sa tête, plus forte que le reste, plus claire, plus nette, une question, la question. Qu'elle reconnaissait pour se l'être déjà posée.

« Qu'est-ce que Marc allait faire en pleine nuit dans la forêt ? »

La forêt, qui crachait des lueurs verdâtres. La nuit. À l'ouest.

Aline secoua la tête, et le décor moche de la quincaillerie reprit sa place. Elle devait téléphoner à la police. Elle pivota, et son regard croisa celui de Sylvie. Aline prit conscience que son amie n'avait pas bougé depuis tout à l'heure. Elle se rongeait un ongle, et ses yeux remplis d'eau la fixaient avec une expression indéfinissable.

Chapitre 9

CES ÉVÉNEMENTS font frémir, pensa Aline en retournant chez elle, alors qu'elle tentait malgré elle de visualiser la scène épouvantable qui s'était déroulée chez le vieux Rousseau.

Elle n'était pas encore parvenue à la hauteur du dépanneur lorsqu'elle vit une silhouette voûtée en sortir, puis s'éloigner lentement sur le trottoir. La silhouette avançait avec peine, en se traînant les pieds, et semblait ployer sous le poids d'un tout petit sac d'épicerie. C'était Marc. Il ne l'avait pas vue en sortant.

Aline allongea le pas, sans courir toutefois au cas où Marc l'aurait entendue. Elle en profita pour se composer un beau petit chapelet de reproches, qu'elle comptait bien lui adresser. Mais plus elle se rapprochait, plus elle trouvait un air misérable à ce corps voûté. Un air si faible, si abattu... Chacun des pas de Marc semblait le résultat d'un long et fastidieux processus, dont la moindre contraction musculaire était calculée pour lui éviter de s'écrouler au sol. Et dire que Marc lui avait toujours paru un garçon débordant de vitalité !

Tous les reproches d'Aline moururent dans sa gorge lorsqu'elle arriva à ses côtés. Marc arborait un visage ravagé, aux traits tirés. Sa bouche pendait à moitié ouverte sous son regard éteint.

Les yeux se tournèrent vers elle. Marc la contempla un instant, avec l'air de celui qui cherche à mettre un nom sur un visage connu. Une faible étincelle passa dans son regard.

— Ah... fit-il faiblement.

— Euh... ça va, Marc ? questionna Aline, mal à l'aise.

— Très bien. Et toi ?

Sa voix traînait comme si le fait de parler avait exigé de lui un immense effort.

— Mieux que toi, on dirait. T'es sûr que t'es pas malade ?

— Je me suis jamais senti aussi bien.

— Tant mieux, répliqua-t-elle avec une minuscule pointe d'ironie. Coudon, on te voit plus ! Qu'est-ce que tu fais de bon ?

Pas de réponse. Marc restait là, mollement planté devant elle. Elle devait le secouer.

— Oh ! c'est vrai, reprit Aline, moi je t'ai vu cette semaine ! Mercredi soir, à la TV. Dans « L'Enfer des zombies ». T'étais très convaincant dans le rôle titre.

Le regard de Marc prit vie.

— Tu veux dire l'enfer ou le zombie ?

Ça, c'était bien lui. Enfin ! D'ailleurs, tout son visage, et même son corps, affichaient maintenant plus de fermeté.

— Sans farce, s'exclama Aline, t'es-tu vu l'allure ? T'as quelque chose, hein ? Pourquoi tu me le dis pas ?

— Tout va bien, je suis normal. Si tu m'as pas vu ces derniers jours, c'est parce que j'allais dans le bois, le soir. Et que je me levais tard.

— Le soir ? fit Aline en feignant la surprise. Mais tu vas te perdre !

— Je me perdrai pas tant que la nature guide mes pas.

— La nature ? Qu'est-ce que tu racontes-là ?

— Des choses que tu peux pas comprendre.

— Je suis trop tarte, c'est ça ?

— Non, c'est pas ça.

— Moi aussi je suis allée dans la forêt, certains soirs, mentit-elle, et je t'ai pas vu. Dans quel coin tu allais ?

— Dans le plus merveilleux des endroits, où je peux communiquer avec la nature.

Aline fronça les sourcils. Voilà un commentaire qui ne ressemblait pas du tout à Marc, le pur citadin, le chantre de la ville et du béton.

— Mais où, ça ? insista-t-elle en haussant la voix.

— Je peux pas te le dire. C'est important que cet endroit reste... vierge de toute présence en dehors de la mienne.

Aline avait une petite idée de l'endroit où Marc se rendait la nuit, mais elle n'osa pas le dire à haute voix. Elle réprima un frisson, puis reprit :

— J'aimerais ça que tu m'emmènes avec toi la prochaine fois.

— Non. Une autre personne briserait l'harmonie entre moi et... la nature. Ça marcherait plus.

— Tu sais que tu me tapes un peu sur les nerfs avec tes histoires de nature ? J'ai passé toute ma vie ici, moi, et je ne suis pas partie sur un trip mystique !

Tout dans l'attitude de Marc laissait croire qu'il en avait plus qu'assez de cette conversation, et Aline se sentait maintenant importune.

— Maintenant, dit Marc de sa voix traînante, si tu veux bien m'excuser, j'ai besoin de sommeil. Et toute cette lumière me fait mal aux yeux. Tu passeras me voir plus tard, si tu y tiens vraiment.

Sans rien ajouter, il partit vers le bout de la rue, poussant péniblement une jambe au-devant de l'autre, raclant le trottoir de ses semelles, laissant Aline en plan. Cette façon de mettre fin à leur conversation, c'était pire qu'une gifle. Il ne voulait plus d'elle, c'était clair. Quelques larmes embrouillèrent sa vue, mais elle les sécha aussitôt. Elle n'allait pas abandonner comme ça ! Et puis, Marc n'avait tellement pas l'air d'être lui-même qu'Aline était convaincue qu'il y avait une explication à tout cela. Elle voulait tout savoir. Peut-être pourrait-elle lui être d'un quelconque secours ?

Oh oui ! elle passerait le voir plus tard, car elle y tenait vraiment !

Marc avait dit avoir besoin de sommeil. Aline consulta sa montre. Dix-huit heures trente. Elle était convaincue qu'il allait de nouveau sortir ce soir et se rendre en forêt. Dans un peu plus d'une heure, le ciel commencerait à s'assombrir. De plus, des nuages commençaient à s'amonceler, et il ferait noir encore plus tôt. Aline se dit qu'elle aurait avantage à ne pas trop s'éloigner, sinon Marc, encore une fois, lui filerait entre les doigts.

Elle se remit en marche, très lentement elle aussi. Si elle se risquait à entrer chez elle, il lui faudrait prendre le temps de saluer Pepére, de saluer sa mère. Qui sait ce qui pourrait alors survenir : un imprévu, une quelconque corvée, et il serait trop tard, tout serait fichu.

Elle passa devant chez elle, remarqua même Pepére installé devant la fenêtre, et jugea malgré la distance qu'il la regardait. Elle lui fit signe de la main, continua sa route. Quelques mètres plus loin, elle quitta la rue et contourna par l'arrière les dernières maisons pour se rendre au champ, d'où elle comptait surveiller l'éventuel départ du jeune homme blond.

Au tiers de la distance entre les maisons et la forêt, elle aurait une vue idéale et ne pourrait manquer Marc. Aline avait à peine fait quelques pas dans l'herbe folle lorsqu'elle aperçut un petit nuage de fumée qui s'élevait derrière un rocher. Elle s'accroupit vivement et tenta de voir quelque chose. Un peu de fumée jaillit de nouveau. Une cigarette, pensat-elle. Il y avait quelqu'un là-bas. Pourquoi donc ?

En s'éloignant un peu plus des maisons, Aline décrivit un cercle dans le champ de façon à contourner la personne qui était assise derrière le rocher. À pas feutrés, elle s'en approcha. Puis elle vit un bonnet noir, une robe sombre et très ample. Ceci lui était vaguement familier. Elle aurait aimé s'approcher davantage, mais la prudence élémentaire le lui interdisait : l'autre l'aurait certainement entendue. Ce n'est pas qu'Aline se sentait coupable d'épier quelqu'un, mais elle trouvait tellement incongru qu'une femme soit tapie dans l'herbe en plein champ, à cette heure, en robe… D'après la position de cette femme par rapport au rocher, et par rapport aux maisons, celle-ci ne pouvait regarder qu'une chose : la maison de Marc.

Elles avaient eu la même idée !

Mais pas pour la même raison, pensa Aline en souriant brièvement.

Mais de qui s'agissait-il ? Aline s'attarda un moment sur ce qu'elle pouvait voir de la robe et du bonnet. Cela datait à n'en pas douter d'une autre époque. Cette femme était probablement âgée — ou alors déguisée.

Tout à coup, un déclic dans sa tête. Ce matin, au travail, elle avait vu passer ces vêtements, cette femme, dans la rue, devant la quincaillerie. Quelqu'un de l'extérieur du village. Qui était-elle, et que diable faisait-elle appuyée sur une roche à cette heure…

… à regarder chez Marc ?

La vieille toussa, se racla la gorge, puis sembla enfoncer sa cigarette dans le sol. Elle changeait fréquemment de position, massait de temps à autre ses genoux. Elle devait se trouver là depuis un certain temps.

Une pensée inquiéta Aline : si Marc sortait maintenant, que ferait la vieille ? Et que ferait-elle, elle-même ? Allait-elle devoir filer deux personnes en même temps ? Dont une vêtue de noir, alors que déjà il faisait plus sombre ? Elle secoua la tête. Voilà qu'elle semblait convaincue que cette vieille femme voulait suivre Marc. Mais comme il était difficile de croire qu'elle n'était pas en train de surveiller la maison…

La vieille jeta un coup d'œil vers le ciel, où les nuages se faisaient de plus en plus nombreux. Aline crut entendre un grognement. La vieille regarda encore vers le haut, puis se leva. Aline s'écrasa au sol. Elle perçut les pas de la vieille dans l'herbe. Elle s'en allait.

Pendant quelques secondes, Aline se demanda quoi faire. Les nuages lui disaient qu'il pleuvrait durant la soirée. Peut-être que Marc ne sortirait pas. En revanche, elle brûlait d'envie de savoir où se rendait la vieille, de quoi elle avait l'air, qui elle était. Elle attendit encore un peu, puis se redressa à demi et s'élança à la suite de la silhouette noire.

L'étrangère ne faisait pas d'effort particulier pour se dissimuler : elle marchait lentement au milieu du champ, vers l'est, donc vers la route 37 à l'extérieur du village. Peut-être y avait-elle stationné une voiture, auquel cas Aline en serait quitte pour revenir bredouille. Mais sa curiosité était tellement piquée qu'elle suivit quand même la vieille, tout en restant à distance respectueuse pour éviter que l'étrangère n'entendît ses pas, car de part et d'autre du champ, tout était silencieux. Au village, les gens restaient sans doute chez eux à cause de ces vilains nuages qui s'amoncelaient. De l'autre côté, il n'y avait pas même un frémissement perceptible dans les arbres qui, peut-être, attendaient la pluie.

La vieille traversa le petit fossé, puis monta sur la route, où il n'y avait aucune voiture en vue. Elle marcha en direction sud, s'éloignant du village. Aline, tapie dans l'herbe, hésita. La vieille n'allait quand même pas marcher jusqu'au village voisin ! Sûrement pas. Donc il fallait la suivre. Quelques gouttes de pluie tombèrent sur sa tête. Il faisait maintenant assez sombre. Elle pourrait à son tour marcher sur la route sans trop risquer d'être vue, et si la pluie s'intensifiait juste un peu, cela couvrirait le bruit de ses pas. Aline franchit le fossé à son tour.

Au bout de quelques minutes, la vieille quitta la route et s'engagea dans un petit chemin de terre qui s'enfonçait entre les arbres. La pluie légère formait un doux crépitement sur les feuilles. Aline dut presser le pas car elle aurait rapidement perdu la trace de la vieille dans un tel sentier. Elle remarqua que des traces de roues récentes marquaient le chemin, que les herbes avaient été écrasées en bordure, et que certaines branches basses étaient cassées.

Bientôt une lueur filtra entre les arbres : il s'agissait sûrement du repaire de la vieille. Les traces de pneus obliquèrent sur la gauche, où nombre d'arbustes étaient plaqués sur le sol. De là provenait la faible lueur.

À pas de loup Aline s'approcha, longeant les tiges toujours dressées, à l'abri de l'ampoule qui éclairait la clairière.

Soudain elle figea, puis recula d'un pas. En plaquant nerveusement une main sur sa bouche, elle promena ses yeux écarquillés sur la grosse forme blanche stationnée là, dans un décor de dense végétation éclairé par une lampe intérieure. Aline sentit sa gorge se serrer. La double ligne verte parcourant le flanc du véhicule semblait une flèche alignée sur son cœur. Et les lettres, de la même couleur, formaient un mot qui depuis deux jours évoquait des choses très désagréables.

WINNEBAGO.

Chapitre 10

C'ÉTAIT ELLE qui avait tenté d'écraser Marc!

Mais pourquoi?

Qui était-elle?

Était-elle liée aux événements bizarres des derniers jours?

Aline n'avait aucune idée de ce qu'elle devait faire. S'enfuir tout de suite et prévenir la police? Cette femme était sans l'ombre d'un doute dangereuse, et Aline eut tout à coup l'impression qu'elle venait de se mettre dans de beaux draps. Oui, elle devait partir. Mais, un instant. Où était la vieille? Dans le camion roulotte?

Elle étira le cou et tenta de repérer l'étrangère. La faible lumière de l'ampoule laissait beaucoup de zones noires, dont chacune était susceptible de dissimuler la vieille. Aline fit quelques pas pour élargir son champ de vision.

Rien.

Puis, un craquement derrière elle.

— Qui êtes-vous? grinça une faible voix.

Aline sentit son cœur s'arrêter. Le cri qu'elle s'apprêtait à pousser resta bloqué dans sa gorge. Elle fit demi-tour.

La vieille lui faisait face, plantée en plein milieu de la trouée créée par le passage du camion, à la limite de la zone éclairée par la lampe.

– Alors ? insista la vieille.

Un frisson glacé remontait lentement le long du dos d'Aline. Mais avant que ce froid ne caresse son cou, elle réagit. Il n'y avait qu'une seule direction possible, et la vieille l'obstruait.

Aline fonça. Portée par la peur, elle bondit par-dessus les arbustes aplatis au sol. La vieille fit mine de se placer sur son chemin. Aline courait à pleine vitesse. Elle se pencha vers l'avant, rentra la tête dans les épaules, et frappa la vieille de toutes ses forces, qui culbuta, apparemment bien plus légère qu'elle.

La jeune fille poussa un cri de victoire en apercevant du coin de l'œil la vieille qui s'écrasait lourdement au sol. Loin de ralentir, Aline se dit que l'occasion était belle de prendre de l'avance sur son éventuelle poursuivante. Mais son pied glissa sur l'herbe mouillée, elle trébucha et roula dans la végétation. Elle se tourna, jeta un regard horrifié vers l'arrière, se détendit. La vieille n'était pas là.

Si ! Là-bas, couchée à l'endroit où elle était tombée, immobile.

Aline se releva. Elle fit quelques pas vers la route, presque à reculons, sans quitter des yeux la forme inerte de la vieille, puis s'arrêta. Elle tendit l'oreille et perçut un faible gémissement. Elle se mordit les lèvres. Avait-elle blessé la femme en lui rentrant dedans ? La vieille semblait ne plus pouvoir bouger.

Elle hésita. Pouvait-elle partir et laisser la vieille couchée à même le sol, à souffrir toute la nuit au froid et sous la pluie ? Se rendre directement au poste de police pour qu'on vienne s'occuper d'elle ? Alors, Aline serait sans doute accusée de voies de fait ou d'un autre délit du genre. Il serait peut-être préférable qu'elle aille voir comment se portait la vieille — dont les gémissements avaient quelque chose de déchirant.

Et si c'était un piège ? La vieille la laisserait approcher et quand Aline serait tout près, elle la saisirait, l'empoignerait…

Comment savoir ? Que faire ? Aline n'avait rien d'un monstre et elle n'aurait jamais la conscience en paix si elle devait abandonner ainsi une personne blessée.

Alors qu'elle regardait un peu partout en se tortillant les doigts, son regard rencontra un bout de bois par terre, tout près. Elle regarda le corps étendu un peu plus loin. Le bout de bois à ses pieds. Qu'elle ramassa.

Elle visa, et lança la branche vers la vieille. En plein sur le ventre. Le bout de bois rebondit, pendant qu'une légère contraction parcourait le corps étendu. Un râle sec avait accompagné le mouvement, puis redevint faible geignement.

La vieille était vraiment blessée.

Aline s'approcha. Elle se pencha sur la vieille qui, au même moment, levait son visage ridé pour la regarder.

Deux yeux aqueux, si pâles qu'ils semblaient transparents, apparurent entre ses paupières crispées.

Aline sursauta, puis resta rivée à ces yeux. Le temps s'était comme arrêté autour d'elle, il n'y avait plus aucune pensée dans sa tête. Seulement les deux petits lacs dans lesquels se reflétait le projecteur fixé au camion. Ce n'est que lorsque la vieille toussa, puis se tordit de douleur qu'Aline sortit de sa torpeur.

— Il… faut que tu m'aides, dit la vieille dans une grimace.

— Je vais aller appeler une ambulance, ce sera pas long, répondit Aline en faisant mine de s'éloigner.

— Pas ça !

L'étrangère avait trouvé le moyen de mettre un peu de force dans sa voix et même de tendre vers Aline la main décharnée qui émergeait d'une manche de sa robe. Elle aspira une longue goulée d'air, puis reprit :

— Les Bouchard. Empêcher les Bouchard…

— Quoi, les Bouchard ? Il n'y a pas de Bouchard ici.

— Il y en a eu jadis. Il y en a maintenant un autre.

La voix de la vieille n'était qu'un murmure dans la clairière. Mais une forte conviction dans son visage intimidait Aline. De quoi parlait-elle ? Les Bouchard, c'était il y a presque trois quarts de siècle. Ces gens étaient détestés et craints. Des sorciers cruels et sanguinaires. Non, la vieille devait parler de quelqu'un d'autre.

— Pas à ma connaissance, en tout cas, rétorqua Aline, qui se méfiait quand même encore un peu.

Ce qu'elle n'aimait pas, ce qui la mettait mal à l'aise, c'était ce regard, ces yeux si pâles qu'elle n'en avait vu de semblables qu'une seule fois dans sa vie.

— Il faut tuer le jeune homme blond, reprit la vieille en agrippant un poignet d'Aline, qui sursauta.

La jeune fille se dégagea d'une secousse, puis recula d'un mètre, toujours accroupie.

— Le jeune homme blond ? Marc ? cria-t-elle presque, horrifiée. Mais vous êtes folle ! Et puis d'abord, qui êtes-vous ?

— Que je sois folle serait une bénédiction pour les gens d'ici, mais hélas je ne le suis pas, et si rien n'est fait, les ténèbres s'abattront bientôt sur cette région.

La vieille toussa à quelques reprises, puis s'éclaircit la gorge. Pas folle ? En tout cas, Aline avait des doutes — et aussi un brin de chair de poule — à l'idée d'être ici toute seule avec… cette femme.

— En tout cas, je ne comprends rien à ce que vous dites.

— Mon nom est Clémence. Clémence Bouchard. Et je suis la seule de la lignée qui n'était pas présente à Saint-Thomas lors de l'Affrontement, en 1921.

Aline avala difficilement sa salive. La vieille ne parlait-elle pas des événements sanglants dont son grand-père avait été un des meneurs ?

— Je ne connais pas ces choses-là, assura-t-elle. Et je ne vois pas le rapport entre votre nom et le fait qu'on doive tuer Marc.

— La légende ne dit-elle pas que les Bouchard ont fait le serment de revenir un jour ?

Parfois, les vieux parlaient de Pepére comme du « gardien ». Sa mère lui avait souvent dit que Pepére gardait la forêt autrefois. Ça voulait dire quoi, garder la forêt ? Garder contre quoi ? Pourquoi pensait-elle à ces choses en ce moment ? C'est la vieille qui la mettait dans cet état ! Ce visage émacié, cette peau parcheminée... ces yeux transparents.

Elle parlait du serment des Bouchard, elle revenait ici après tant de décennies. Elle voulait la peau de Marc, elle avait même essayé de l'écrabouiller avec sa roulotte motorisée. Les Bouchard n'étaient-ils pas des gens mauvais ?

C'était donc qu'elle représentait le retour des Bouchard, ces gens mauvais. Les vieux du village refusaient de parler des Bouchard, mais il y avait toutes sortes d'histoires qui circulaient, des contes, des légendes de forêt et de démons qui enlevaient les petits enfants pour les tuer.

Mais, un instant. La vieille n'avait-elle pas affirmé tout à l'heure qu'il fallait empêcher le retour des Bouchard ? Ce devait être un piège ! Les gens mauvais sont des menteurs, après tout. Si elle voulait tuer Marc, c'était sans doute pour l'offrir en sacrifice à quelque démon.

— Le clan des Bouchard était puissant, continua la vieille. Mais pour assurer leur retour dans ce monde d'où ils ont été chassés, il leur faut un corps, un lien tangible et matériel. La capture d'un corps est toutefois l'acte le plus difficile à accomplir pour l'esprit d'un mort et, pendant longtemps, je présume, les Bouchard ont tout tenté pour le faire.

La vieille reprenait des couleurs et parlait aussi avec plus de fermeté. Curieusement, bien que le regain de vie de la blessée eût dû représenter une menace pour elle, Aline tendait plutôt à lui faire confiance. Elle ne la redoutait plus, ou en tout cas elle ne percevait plus de menace dans l'attitude, le ton ou les paroles de la vieille. Celle-ci dut s'apercevoir du changement, car soudain ses lèvres ridées esquissèrent un sourire, qui retomba aussitôt.

— Par contre, l'esprit d'un mort bénéficie d'une grande aisance à épouser un corps où coule le sang qui fut le sien.

— Je vois… bafouilla Aline, avant de se rendre compte qu'elle venait de dire une idiotie.

— Du point de vue qui fut le mien, élevée sans jamais avoir fréquenté les miens mais connaissant bien l'histoire de ma famille, j'ai toujours considéré les Bouchard comme des gens assoiffés de pouvoir, hargneux et dangereux. Des monstres qui offraient des sacr…

La vieille s'interrompit et ferma un instant les yeux, non de douleur mais en un signe d'intense réflexion. Quelques gouttes de pluie glissèrent sur son visage.

— Comme toutes les femmes Bouchard, je suis clairaudiente ; j'entends à travers le temps et l'espace. Je sais que la prophétie va tenter de se réaliser ici, maintenant. Les sorciers s'apprêtent à revenir dans ce monde, car en ce moment un Bouchard habite Saint-Thomas. Tu le connais, car son regard est le même que tous ceux de sa lignée.

La vieille avait soufflé ces derniers mots au visage d'Aline en se donnant la peine d'écarquiller les paupières pour mieux lui exposer son regard liquide.

— L'acte le plus grave que j'aie commis dans ma vie aura été de mettre au monde une fille, car celle-ci a engendré, à son tour, pour ensuite abandonner l'enfant. Et le hasard a fait que cet enfant jadis abandonné est de retour sur la terre de ses ancêtres, sans même le savoir.

— Marc… murmura Aline.

La vieille acquiesça.

— Et sa vraie mère, où est-elle ?

— Sa vraie mère n'est plus là, fit sèchement la vieille, et son visage se referma brièvement, le temps qu'elle reprenne, en pointant un doigt crochu vers Aline : « Il faut que tu m'aides à contrer la prophétie des Bouchard ! »

— Moi ? En tuant Marc ? Mais vous êtes malade !

— Alors les sorciers vengeront l'affront qui leur a été fait voici près de quatre-vingts ans, et les sacrifices recommenceront !

Les sacrifices. Les vieilles histoires d'enfants disparus. Avec tout ce que la vieille lui avait raconté, il était clair qu'elle s'y connaissait en matière de sorcellerie. Et le ton de la phrase — « Sa vraie mère n'est plus là. » — avait fait frissonner Aline. Question : une femme qui a déjà tenté d'écraser son petit-fils aurait-elle été capable d'éliminer sa propre fille ? Dans l'esprit d'Aline, il n'y avait aucun doute. Alors pourquoi demeurait-elle aux côtés de la vieille, sans même ressentir de peur ? Oui bon, cette femme avait commis des actes abominables, mais elle semblait absolument convaincue d'avoir agi pour le bien : contrer la prophétie des Bouchard, s'arranger pour qu'elle ne se concrétise jamais. Ici, le bien mène au mal.

— Marc n'acceptera jamais de participer à une chose pareille ! riposta soudain Aline.

— Marc est déjà sous influence.

Aline était troublée. Cela avait l'air grotesque, et pourtant c'était la seule explication possible au changement radical d'attitude qu'elle avait observé chez Marc ces derniers jours. Voilà donc un élément très tangible de la présence des sorciers. Un premier pas sur le chemin de leur retour. Ils allaient revenir ! Vengeance, meurtre, sang... sacrifices dans la forêt. Qui pourrait les arrêter cette fois ?

— Mais ça, tu l'avais sûrement remarqué, n'est-ce pas ? C'est lui, le véritable danger qui guette la région.

La vieille avait réponse à tout et, dans son esprit, la seule chose à faire était de tuer Marc pour empêcher ses ancêtres de prendre possession de son corps et ainsi d'accéder à nouveau au monde.

Tuer Marc ?

— Il doit bien exister une autre solution, dit Aline d'une voix presque suppliante.

— Je n'en connais aucune. Prendre le risque de l'enchaîner à chaque pleine lune ? Jusqu'à la fin de ses jours ? Qui sait si, à la longue, les ancêtres n'arriveraient pas à l'atteindre à distance ?

— Ces esprits, reprit Aline après un moment de réflexion, résident autour de la vieille maison dans la forêt, j'imagine ?

— C'est leur point de contact avec notre monde.

— On pourrait pas simplement détruire tout le domaine ?

– Détruire des objets matériels ? Cela ne change rien pour un esprit. Seul le lieu importe…

Cette fois, ce fut la vieille qui parut réfléchir intensément. Elle avait légèrement incliné la tête de côté, pendant que ses yeux aqueux fixaient un point du feuillage éclairé par le projecteur.

– J'ai toujours ressenti dans mes visions, reprit-elle, que quelque chose les empêchait de quitter leur lieu, sans jamais savoir au juste… « Le gardien veille ! »

– Quoi, le gardien ?

– C'est un concept très clair dans mon esprit et très présent dans les consciences décorporées des Bouchard. C'est un symbole, mais je ne peux dire si c'est un objet ou une personne.

– Le gardien, c'est celui qui a la clé, en tout cas.

La vieille, après une seconde d'hésitation, haussa un sourcil et regarda Aline. Elle hocha la tête.

– C'est l'évidence même.

Une pensée folle trottait dans la tête d'Aline. Mais une pensée pouvait-elle vraiment sembler folle quand on se trouvait dans un village où des sorciers tués voici quatre-vingts ans s'apprêtaient à venir se venger sur les descendants de leurs bourreaux ? Aline posa une main sur l'épaule de la vieille.

– Madame Bouchard… il y a au village un homme que les vieux appellent « le gardien ».

La vieille redressa vivement la tête.

— Est-il très âgé ? demanda-t-elle d'un ton plus vif.

— Assez, dit Aline, pour avoir été un des meneurs des villageois lors de l'Affrontement de 1921.

— Et tu le connais ?

— Le gardien Brodeur, c'est mon grand-père.

La vieille fit un effort et se redressa, approchant son visage d'Aline.

— Il faut que je lui parle.

Chapitre 11

– TABARNAC !

Yvan tournait en rond devant la salle de billard et ne cessait de hocher la tête. Ses longs cheveux roux scandaient les mouvements de son cou et, de temps à autre, son regard croisait celui d'Aline, comme s'il allait lui rétorquer quelque chose. Sauf qu'Yvan demeurait muet. Au moins, il ne s'était pas mis à rire d'elle, ni à la traiter d'idiote, de débile ou d'illuminée.

Elle avait dû lui répéter deux fois son histoire, à toute vitesse, en version abrégée, pour qu'il ait enfin une réaction. Et quelle réaction : il n'arrivait plus à dire un mot ! Mais Aline s'imaginait à sa place ; comment aurait-elle réagi si quelqu'un lui était soudain arrivé avec une histoire de sorciers qui s'apprêtent à revenir à la vie et à déchaîner leur vengeance sur le village ?

À Saint-Thomas, ces choses-là n'avaient pas la même connotation qu'ailleurs, et c'est pourquoi Yvan ne l'avait pas tout simplement envoyée paître.

La situation était trop urgente pour laisser à Yvan le temps de se faire une idée.

— Pis ? dit-elle à voix haute. Tu veux m'aider ?

Yvan freina brusquement.

— Oh ! laisse-moi y penser !

— On dit pourtant que t'as jamais de misère à piquer un char...

Au village, on connaissait Yvan comme celui qui, à l'occasion, « empruntait » nuitamment une voiture au hasard pour s'offrir une balade avec les copains.

— Ouais, mais on m'a jamais demandé de participer à un enlèvement !

— C'est pas un enlèvement, c'est mon grand-père !

— Alors pourquoi faut le faire en secret ?

— Il le faut, c'est tout. Tu me crois, au moins, quand je dis que le village court un grave danger ?

Il hésita.

— C'est peut-être idiot, mais je veux bien croire que quelque chose se prépare. C'est pas normal que, en quelques jours, tout le monde se mette à faire des cauchemars. Presque les mêmes... Et ces morts, en pleine nuit...

— Et en 1921, il y a certainement eu des événements sanglants, non ?

— C'est sûr. Mais personne veut en parler. Pourquoi ?

Aline s'impatientait, se mordillait les lèvres, se tordait sur place.

— Je te le dirai plus tard. Si tu viens m'aider. Assez niaisé : on y va, ou je t'oublie ?

Elle le gratifia de son regard le plus intense. Yvan baissa les yeux.

— Bah, OK d'abord. On y va.

— Alors vite, trouve-nous une voiture !

— Un beau char de l'année ?

— Va au plus simple, je t'en demande pas plus.

— OK, ce sera un bazou.

— Pis tu viens me rejoindre chez nous. Essaye de pas faire trop de bruit.

— Mais t'as dit que ta mère prenait des pilules pour dormir.

— Oui, mais les voisins, pense aux voisins…

— À tantôt !

Yvan tourna les talons et partit à grandes enjambées. Pouvait-elle lui faire confiance ? Curieusement, Aline en était convaincue. Yvan avait l'air sincère. Et beaucoup plus sympathique qu'elle ne l'aurait cru. Elle secoua la tête. Ses pensées noires un instant oubliées revinrent en force et son cœur se mit à battre plus vite. Elle s'élança vers chez elle.

❋

La pluie avait cessé. Aline jeta un coup d'œil du côté de chez Marc : il y avait de la lumière dans une chambre. Il était peut-être encore à l'intérieur. Aline regarda le ciel. C'était toujours nuageux. D'après la vieille,

Marc ne sortirait que sous les rayons de la lune.

Aline entra chez elle. Pas de télé, pas de bruit, pas de lumière. Tout le monde dormait. Elle monta silencieusement à l'étage. Au passage, elle fit de la lumière et jeta un coup d'œil dans la salle de bain. La fiole de somnifères de sa mère était sur le comptoir. C'était parfait. Aline éteignit, puis redescendit. Elle traversa le salon et, comme elle arrivait au petit couloir qui menait à la chambre de Pepére, un bruit discret la figea sur place.

Les sens aux aguets, elle parcourut les alentours du regard. Elle aurait dû faire de la lumière en entrant. Après quelques secondes d'hésitation, elle se rendit à la chambre, entra, sursauta.

Pepére était sur son fauteuil roulant, les yeux grand ouverts.

Sa mère avait oublié de coucher Pepére ! Ou alors elle considérait que c'était à Aline de le faire, et elle l'avait laissé sur son fauteuil. Dans un cas comme dans l'autre, il y avait négligence. Elle soupira. Sa mère prenait trop de somnifères, elle en perdait parfois des bouts.

Pauvre Pepére ! Et Aline qui s'en venait pour le tourmenter…

Elle étendit soudain le cou. Ne venait-elle pas de voir, à la lueur de la faible veilleuse, un mouvement sur son visage ? Un tiraillement sur la joue ? Elle s'approcha. Les yeux de Pepére se déplaçaient de façon désordonnée et il haletait bruyamment. Ses mains et son visage se mirent à trembler. Aline poussa un cri. Pepére bougeait de lui-même et l'éclat jaunâtre de la veilleuse accentuait la grimace qui fendait son visage.

Elle recula d'un pas. Dans un effort ultime, Pepére se redressa. Il oscilla sur place, puis tendit un bras tremblotant vers le mur. Elle regarda le mur. Puis Pepére. Il était affalé dans son fauteuil, comme s'il n'en avait jamais bougé. En avait-il seulement bougé ? Aline fut prise d'un vertige.

Les yeux de Pepére continuaient leur danse démente. Droite, gauche, droite gauche… le mur ? Le mur, quoi, le mur.

« Ah ! »

Le pendentif.

Un déclic. C'était ça qu'elle avait vu dans son cauchemar. Les mêmes formes, les mêmes symboles. Un objet familier et pourtant elle n'avait pu l'identifier.

Elle regarda Pepére, dont les yeux s'étaient immobilisés. Sur le pendentif. Et au bout de plusieurs secondes, alors qu'Aline elle-même ne savait plus comment réagir, le regard de son grand-père posa sur elle.

Une lumière se fit dans l'esprit d'Aline. Pepére savait. Il savait tout. Car il était le gardien Brodeur et que son rôle était de savoir. Et d'agir.

Aline marcha jusqu'au pendentif et le décrocha du mur.

– C'est ça, hein Pepére ? Ça va nous proté-ger comme dans mon rêve ?

Un bruit de voiture lui parvint de la rue. Yvan avait réussi ! Aline bondit jusqu'à Pepére et s'agenouilla à ses côtés.

– Pepére, dit-elle, j'ai pas le temps de vous expliquer, mais il faut que vous veniez. C'est très important, des événements très graves vont se produire. Il faut que vous me croyiez !

Les yeux de son grand-père firent deux fois le trajet de haut en bas.

– Vous savez tout, pas vrai Pepére ?

Même trajet des yeux.

– Il y a quelqu'un qui veut vous rencon-trer. Quelqu'un qui va nous aider à vaincre les Bouchard. Une auto nous attend dans la rue en avant.

Sans plus d'explications, Aline se releva et poussa le fauteuil roulant vers l'entrée. Une grosse familiale de couleur sombre ronronnait contre le trottoir, tous feux éteints. Yvan en descendit et ouvrit la portière arrière. Il cou-rut ensuite à la rencontre d'Aline, souleva Pepére et le porta jusqu'à la voiture. La jeune fille contourna la familiale et prit place sur le siège du passager.

– Pis ? dit Yvan, après s'être installé au vo-lant. Où on va ?

– Va prendre la 37, lança Aline, les yeux fixés vers l'avant.

Quelque chose de dur racla le dessous de la voiture, et Aline sentit l'obstacle — une roche ? — passer sous ses pieds.

– T'aurais pu me dire que ça prenait un Jeep pour se rendre !

– Désolée, j'avais d'autres choses à penser.

Oui, autre chose, rumina-t-elle, après avoir remarqué que le ciel commençait à s'éclaircir. La lune sortirait sûrement cette nuit.

La suspension de la voiture gémissait en tentant d'épouser le chemin défoncé pendant que des branches crissaient le long de sa carrosserie et qu'un tapis d'herbe caressait son plancher. Ils arrivèrent à l'endroit où le camion roulotte avait viré à gauche à travers les buissons.

– Par là, fit Aline en pointant un doigt.

L'avant de la voiture plongea soudain d'une trentaine de centimètres et les roues se mirent à patiner sur l'herbe mouillée. Yvan insista un peu sur l'accélérateur, passa en marche arrière, mais la familiale refusa de bouger. Il grommela quelque chose, puis éteignit le moteur. Aline descendit et ouvrit la portière arrière. Avant qu'elle ne se penche vers Pepére, Yvan s'était interposé, puis avait soulevé le maigre vieillard sans effort apparent. Il le porta, en suivant Aline, jusqu'à l'intérieur du Winnebago, où elle avait installé la vieille avant de la quitter.

Aline, qui surveillait une réaction dans les yeux de Pepére, crut voir un spasme parcourir son corps rachitique au moment où leurs regards se croisèrent. Pepére avait, en tout cas, écarquillé les yeux. Sans l'ombre d'un doute, il savait qui était la vieille. Celle-ci quitta son siège en grimaçant, une main plaquée sur ses côtes. Elle se pencha, tendit une main, posa son index au milieu du front de Pepére, demeura immobile.

— Oui, dit-elle enfin, avec une esquisse de sourire sur son visage fripé.

Elle se tourna vers Aline, puis reprit :

— J'entends les mots de ton grand-père. Nous allons nous comprendre.

Une curieuse conversation s'engagea entre les deux vieillards, au cours de laquelle madame Bouchard y allait de longues tirades, puis gardait le silence pendant un moment, à l'écoute d'une réponse ou d'une question de Pepére qu'elle seule pouvait entendre. Elle expliqua tout, sa présence à Saint-Thomas, la prophétie des Bouchard, la terrible menace qui pesait sur le village, le rôle que devait jouer Marc bien malgré lui. Puis elle écouta encore.

— Marc, reprit la vieille, a été séparé de sa mère peu après sa naissance…

Clémence Bouchard raconta que, lorsque sa propre fille lui apprit qu'elle était enceinte, elle avait tout tenté pour la convaincre de se faire avorter, car plus la lignée se prolongeait, plus les chances augmentaient de voir la prophétie se réaliser. Mais sa fille n'avait rien voulu entendre ; elle tenait à avoir ce bébé, malgré toutes les conséquences possibles. Les deux femmes s'étaient quittées en très mauvais termes.

Mais la vieille avait épié sa fille pendant des mois et, peu après l'accouchement, elle avait mis le feu à l'hôpital dans l'espoir de faire disparaître le bébé. La tentative avait échoué, l'hôpital n'avait pas brûlé. Et la vieille avait perdu la trace de son petit-fils.

Dans la confusion de l'évacuation, des fiches d'identification avaient été perdues, et il y avait eu mélange ; certains nourrissons s'étaient retrouvés avec des parents qui n'étaient pas les leurs. Cela, Clémence Bouchard ne l'avait su que des années plus tard, lorsque le hasard lui fit rencontrer, dans un centre commercial, une mère et son petit garçon, un bambin dont les cheveux très pâles et les yeux incroyablement clairs ne laissaient planer aucun doute sur son origine.

Quant à la mère du bébé, son insistance à avoir l'enfant avait fini par convaincre la vieille qu'elle était favorable au retour des Bouchard. C'est pourquoi Clémence Bouchard avait dû se résigner à éliminer sa propre fille, pour éviter tout risque de récidive.

Aline, qui se rongeait un ongle tout en écoutant le récit de la vieille, grimaça. Comment une mère pouvait-elle en venir à tuer sa propre fille ? À mettre le feu à un hôpital ?

Cette femme était monstrueuse ! Dire qu'elle agissait ainsi pour sauver des gens. Pouvait-on qualifier ses motifs de bons ? Comment la juger ?

La vieille s'était tue et écoutait Pepére, ce qui provoqua un long silence dans le Winnebago, pendant lequel Aline regarda par une fenêtre le ciel où quelques étoiles scintillaient entre les nuages. Bientôt, sans doute, la lune. Et Marc se mettrait en route. Elle se mordit les lèvres pour s'empêcher de crier, de hurler aux autres qu'il fallait se dépêcher. Seule la pensée que Pepére et la vieille Bouchard connaissaient parfaitement les enjeux lui permettait de garder son calme. Yvan, lui, n'avait pas ouvert la bouche depuis qu'ils étaient arrivés. Son visage était celui d'une personne qui croit rêver éveillée.

La vieille baissa ses yeux liquides avant de reprendre la parole.

– Bien sûr, que j'aurais eu l'occasion d'éliminer Marc par le passé. Mais je ne l'ai pas fait. J'étais résolue à n'agir qu'en cas d'absolue nécessité. Qui sait, peut-être que ce jeune homme n'approcherait jamais de la zone d'influence des Bouchard. Marc — j'ignorais son nom —, après tout, était la chair de ma chair, et lui ne connaissait pas ses redoutables ancêtres. Mais un jour, j'ai eu une vision, ou plutôt j'ai entendu des événements à venir. Aujourd'hui, hélas, je n'ai plus le choix. Le jeune est sous influence et, si je m'en remets à mes connaissances, la seule façon de contrer la volonté des sorciers est d'éliminer celui en qui coule leur sang.

Aline bondit de son siège.

– Non, il ne faut pas le tuer ! dit-elle. Il doit exister un autre moyen ! Pepére, vous devez savoir !

– S'il existe une alternative à la mort de Marc, c'est vous, gardien Brodeur, qui la connaissez, dit la vieille en pointant un doigt osseux vers lui. C'est ce que j'ai dit à la petite, qui semble apprécier la compagnie du jeune homme.

– C'est pas ça, rétorqua Aline. On peut pas tuer quelqu'un comme ça ! Ce qui arrive, c'est pas de sa faute !

La vieille sourit, puis prêta attention aux mots dans la tête de Pepére.

– Il faudra les enfermer comme jadis ils l'ont été, traduisit-elle un moment plus tard.

– Comment, enfermer ? Enfermer des esprits ? articula Aline avec humeur.

Elle ne comprenait pas. Et il fallait agir vite. Rien n'avançait. Coup d'œil à la fenêtre. Elle repéra sans mal cinq étoiles. De moins en moins de nuages. Le temps pressait. Trouver comment sauver Marc. Avant que la pleine lune ne pose son regard sur lui.

Yvan s'était approché d'elle et lui avait posé une main sur l'épaule, l'air de dire : « Du calme, on va y arriver. »

– Le sceau a été brisé, c'est pourquoi l'influence des Bouchard s'est subitement étendue, continua la vieille avec, sur ses traits ravinés une expression indéfinissable, un vague mélange de surprise et d'intérêt.

— Comment peut-on réparer ça ? demanda Aline.

— En additionnant le savoir de ton grand-père et le mien, j'obtiens la confirmation de ce dont je me doutais : s'il est vrai qu'un sceau a été brisé, c'est que Marc, déjà, a agi pour les Bouchard. Personne ne peut le nier maintenant : il est bel et bien sous influence, conclut-elle, avant de retourner au visage de Pepére.

Soudain, une blême lueur entra par les fenêtres de la roulotte. Aline se mordit férocement les lèvres. Quelque chose au-dedans d'elle semblait sur le point d'exploser.

— Vite, Pepére ! s'écria-t-elle.

La vieille grimaça.

— Vous pensez trop de choses à la fois, dit-elle à Pepére. Je n'arrive pas à tout comprendre.

Elle regarda à son tour à l'extérieur.

— C'est l'heure, reprit-elle d'une voix blanche. Jeune fille, ce sera à toi d'aller chez les Bouchard, car ni moi ni ton grand-père ne pourrons aller jusque-là. C'est toi, et non moi, qui dois apprendre comment vaincre les sorciers. Approche.

Avant qu'Aline n'ait eu le temps de poser une question, la vieille avait placé une main sur son front et l'autre, sur celui de Pepére. Immédiatement, la jeune fille sentit une vibration dans sa tête, presque un bourdonnement.

Une sensation de chaleur, aussi, à l'endroit où était appuyée la main de la vieille, juste au-dessus de ses yeux. Une sourde douleur perça ses tympans, pour aussitôt disparaître. Puis, à travers ses pensées, il y eut une voix. Une voix qu'elle n'avait jamais entendue, mais dont l'origine ne faisait aucun doute.

C'était la voix de son grand-père.

Chapitre 12

« PUISSE sa voix rester avec toi. »
Les dernières paroles de Clémence
Bouchard résonnaient encore dans la tête
d'Aline, pendant qu'elle courait aux côtés
d'Yvan, sur la route 37 ; il s'était avéré impossible de faire reculer la familiale.

Entre ses seins sautillait le lourd médaillon
de Pepére. Au fil de ses mouvements il captait
des reflets de la lune, dont l'éclat balayait la
route devant eux, ainsi que le champ séparant
le village de la forêt, à leur gauche.

– Qu'est-ce qu'on va faire en le voyant ?
demanda Yvan.

– On va attendre le bon moment.

– Oui, mais après ?

– Je sais quoi faire.

Aline désigna le champ.

– On va y aller en ligne droite, reprit-elle.
Il est peut-être déjà parti.

Yvan acquiesça et fut le premier à quitter la
route, puis à sauter le petit fossé. Leur progression était moins rapide dans le champ, en raison
de l'herbe haute qui pouvait dissimuler toutes

sortes de petits obstacles. À mi-chemin, Aline essaya de voir un signe du côté de chez Marc. Rien à signaler, sinon la lumière au-dessus de la porte d'entrée. Quand ils se furent rapprochés de quelques dizaines de mètres, Yvan saisit Aline par le coude et s'arrêta brusquement.

– La porte est ouverte, chuchota-t-il.

Aline venait de le remarquer. Elle se mordit les lèvres, immobile, indécise. Ce fut encore Yvan qui parla.

– Regarde ! À l'autre bout du champ !

– Où ?

– Tout près de la forêt, là-bas.

Dans la faible lumière de la pleine lune, Aline finit par discerner une petite silhouette qui s'apprêtait à entrer sous le couvert des arbres. Déjà en route ! Un frisson parcourut son échine. Elle serra machinalement le médaillon accroché à son cou.

– Vite ! commanda-t-elle, en s'élançant vers la lisière de la forêt.

Aline redoutait de perdre Marc de vue. Bien sûr, elle savait où il se rendait, mais une fois qu'il serait parvenu à la clairière Bouchard, ne serait-il pas trop tard pour intervenir ? Elle n'avait qu'une petite idée de la puissance qu'elle allait devoir affronter. Elle savait, par contre, que si les sorciers arrivaient à s'ancrer dans le monde des vivants — en s'emparant du corps de Marc — toute leur puissance pourrait se libérer. Qui alors pourrait les arrêter ? Un seul homme avait réussi, et aujourd'hui, cet homme était invalide, incapable même de parler. Il n'y avait plus de gardien. S'il en existait un semblant, c'était Aline, et personne d'autre.

Avant qu'elle et Yvan ne pénètrent à leur tour sous le couvert des arbres, Aline se retourna pour jeter un dernier coup d'œil aux rassurantes lumières du village, à l'autre bout du champ, déjà si loin.

Elle se remit en marche. Elle n'avait pas fait dix pas qu'elle buta sur une racine. Yvan, visiblement nerveux, avait tout de suite bondi auprès d'elle pour la soutenir.

– Nos yeux vont s'habituer un peu à la noirceur, souffla-t-il à l'oreille d'Aline.

Elle leva les yeux. Le feuillage formait une toile au-dessus d'eux et bien peu de clarté lunaire en perçait les mailles. C'était tout ce qu'ils avaient pour se guider.

Un craquement de bois brisa le silence. Vers la droite, se dit Aline. C'était bon signe, car il y avait de ce côté des zones dégagées où il serait plus facile de repérer Marc.

C'était aussi mauvais signe, car vers la droite, plus loin, se trouvait la clairière Bouchard.

– Par là, signifia Aline.

Le bruit léger du vent dans les feuilles couvrirait en partie leurs pas et ils pourraient suivre Marc d'assez près sans risquer de se faire entendre.

– C'est drôle, chuchota Yvan. Dans le champ, tout à l'heure, il n'y avait pas même un petit souffle de vent, et maintenant, écoute-moi ça.

– Disons que ça tombe bien.

Oui, mais ce bruissement de feuilles donnait l'impression de tourner lentement autour d'eux, dans les zones sombres. Un bruit à gauche, qui cesse, puis qui reprend un peu plus à gauche, et à gauche, et à gauche, jusqu'à revenir à son point de départ. Comme si une bête bondissait d'un point à l'autre, juste hors de leur champ de vision, en rond, les épiant. Ou alors, ce n'était que le vent qui arrivait par petites rafales rythmées, en un endroit différent chaque fois.

Aline serra les dents. Entendre des choses qu'elle ne pouvait voir fouettait son imagination et son cœur battait plus vite. Elle se concentra sur le bruit étouffé de ses pas, de ceux d'Yvan, et tenta d'ignorer les bruissements qui rôdaient dans les fourrés tout en s'appliquant à garder son équilibre lorsque d'aventure son pied butait sur un obstacle caché par l'herbe haute.

À la faveur de quelques trouées entre les cimes des arbres, la lueur de la lune révélait de petites portions de forêt à intervalles irréguliers, de loin en loin au-devant d'eux. Et parfois, quand tout concordait, une silhouette se détachait sur le décor sombre, un jeune homme qui marchait lentement, sans paraître se préoccuper d'écarter branches et buissons de son passage. Entre ces zones de faible clarté, l'obscurité masquait les formes, effaçait les contours, engloutissait tout ce qu'Aline et son copain auraient de beaucoup préféré voir. Il ne restait que le bruit des feuilles dans le vent, qui toujours tourbillonnait. Aline avait remarqué une chose, qu'elle garda pour elle-même : ils étaient toujours au centre du tourbillon, même s'ils avançaient constamment, comme si le vent les avait suivis depuis qu'ils étaient dans la forêt.

— On n'a pas l'air partis pour le rattraper, souffla Yvan à son oreille.

C'était vrai, et ils se devaient d'aller plus vite. Ils virent au loin Marc pénétrer dans une portion plus dégagée et mieux éclairée de la forêt. Ils durent ensuite s'arrêter au bord de la clairière, où les arbres cédaient la place à de simples buissons. S'engager dans cet espace découvert en même temps que Marc, c'eût été courir le risque d'être repérés.

Pendant de longues secondes, tapis dans l'ombre, ils regardèrent la silhouette baignée de lune qui avançait lentement vers l'autre extrémité de la clairière. Aline souvent tournait la tête et regardait les mouvements de branches tout autour. Le bruit des feuilles se confondait en échos dans sa tête, et elle s'aperçut qu'elle balançait légèrement son corps au rythme des tourbillons. Elle leva la tête. Les arbres se balançaient eux aussi et leurs cimes dansantes libéraient par moments des pans de ciel sur lesquels elle fixa son attention. Les gros nuages sombres faisaient penser à du bétail parqué dans un champ. Cette vue lui déplut. Sans qu'elle pût dire pourquoi, elle sentit son estomac se nouer.

– On peut y aller, fit Yvan.

Aline se tourna juste à temps pour voir Marc disparaître entre les arbres à l'autre bout de la clairière.

– OK, lâcha-t-elle en guise de réponse.

En mettant le pied à terrain découvert, Aline s'arrêta brusquement et regarda de nouveau vers le ciel. Alors que les feuilles bruissaient comme jamais et que les cimes des arbres s'agitaient frénétiquement, les gros nuages noirs, eux, demeuraient parfaitement immobiles, leur contour éclairé par la lune.

Le vent ne soufflait que dans la forêt.

Yvan agrippa son bras et l'entraîna à sa suite.

– Réveille ! On va le perdre !

En dépit du terrain plus dégagé de la clairière, leur progression fut difficile en raison de la multitude de buissons, de plantes grimpantes et de hautes herbes qui tapissaient le sol. La moindre tige qu'ils voulaient pousser de côté semblait vouloir s'enrouler à leurs membres, et l'un comme l'autre devait constamment tirer pour se dégager. Yvan ne cessait de haleter et de maugréer devant elle ; c'est lui qui se tapait le plus gros du travail. Aline, tout en se protégeant le visage des mains, ne put s'empêcher de penser que les branches se refermaient juste avant leur passage. Là où apparemment s'était trouvée une trouée quand Marc était passé, ils ne rencontraient qu'un muret végétal à travers lequel ils devaient se forcer un chemin. La végétation était encore plus touffue au niveau du sol, et tellement agitée par le vent que plus d'une fois Yvan dut rétablir son équilibre, puis tirer pour déraciner quelque tige enroulée à sa cheville ou sa jambe.

Malgré leur empressement, ils ne gagnèrent pas de terrain sur Marc et, lorsqu'ils rentrèrent sous le couvert des arbres, ce dernier était toujours à l'extrême limite de leur champ de vision.

Le vent aurait dû souffler avec moins de force et pourtant, même entre les arbres, ses rafales bruyantes les fouettaient sans arrêt. Des pensées désagréablement farfelues défilaient dans la tête d'Aline. C'étaient les arbres qui produisaient tout ce fichu vent, en agitant leurs branches à l'unisson, en fouettant l'air au-dessus de leurs têtes. Pour les effrayer, pour les ralentir, les empêcher...

Marc marchait lentement et pourtant, ni Aline ni Yvan n'arrivaient à le rattraper. Ils couraient, trébuchaient, s'aidaient l'un l'autre, sautaient des arbustes, se dépêtraient constamment. Marc, lui, là-bas, avançait le corps bien droit. Il était difficile de bien le voir, mais Aline aurait juré qu'il gardait les bras immobiles le long de son corps. Comme si un sentier s'ouvrait tout seul, exprès pour lui, pour aussitôt se refermer.

Yvan peinait énormément ; Aline avait l'impression que branches et herbes cherchaient toujours à s'enrouler autour d'un des membres de son compagnon, alors qu'ils ne faisaient que l'effleurer elle. Elle se faisait des idées ? Peut-être, mais elle posa une main sur l'épaule d'Yvan.

– Laisse-moi passer en avant, ordonna-t-elle.

– Mais…

Elle passa et put marcher plus vite, car la végétation collait moins à son corps. Derrière, Yvan était en difficulté. Il se débattait avec ardeur, tirant une jambe puis l'autre, toujours empêtré, pendant que le vent déchaîné lui soufflait des branches au visage. Le bruit des feuilles couvrait sa voix, mais Aline lisait quantité de jurons sur ses lèvres. L'expression sur le visage d'Yvan n'était plus la même que tout à l'heure. Il ne ressemblait plus à un garçon qui se rend à l'aventure. Il ne s'amusait plus. Yvan ne comprenait rien à ce qui lui arrivait et bientôt Aline fut convaincue qu'il se mettrait à hurler.

D'un coup sec, il dégagea sa jambe droite. Il força un sourire, puis fit un pas. Il s'arrêta aussitôt, et fut comme aspiré vers l'arrière, une intense stupeur peinte sur son visage. Une de ses jambes était de nouveau coincée dans l'herbe et il perdit l'équilibre. Alors qu'il aurait dû tomber à la renverse, Yvan fut brusquement soulevé de terre et son corps resta suspendu à plusieurs mètres du sol. Il se débattit — Aline crut même entendre un cri malgré le vent qui hurlait dans les branches — comme un diable, mais à mesure que ses gestes se faisaient plus violents, d'autres tiges partaient du sol et venaient s'enrouler solidement à son corps.

Aline était privée de réaction. Le spectacle grotesque d'Yvan qui gesticulait comme une marionnette pendue à ses fils, le visage convulsé de douleur, la remplit d'horreur. À ses propres pieds, les herbes se tordaient et rampaient sur le sol, mais ne s'enroulaient pas à elle, la touchant à peine. Pourquoi ? Était-ce le gardien qui était toujours avec elle ? Pepére la protégeait ? Ou n'était-ce pas plutôt que les forces mauvaises animant la nature sentaient en elle le même sang que dans les veines du gardien Brodeur ?

Yvan était complètement enveloppé de feuillage, mais continuait de se débattre. Aline n'entendait plus sa voix. Les tiges refluèrent soudain vers le sol dans un énorme bruissement qui recouvrit le vent. Elles entraînèrent à leur suite le corps d'Yvan, qui s'écrasa lourdement dans la broussaille. Sa silhouette eut encore quelques mouvements très lents, comme des étirements. Des racines surgirent du sol et s'ajoutèrent à tout ce qui le recouvrait déjà, marquant son corps de profondes striures. Le

sol bougea et le jeune homme, maintenant immobile, s'enfonça lentement. Aline faillit
s'élancer pour le tirer de là mais elle se retint.
Jamais elle n'arriverait à le délivrer. Déjà Yvan
était profondément enlisé, et la terre avait
commencé à le couvrir.

Puis, il n'y eut plus que le vent.

Chapitre 13

ALINE marchait d'un pas ferme dans la forêt. Sur ses joues coulaient des larmes, dont plus d'une humecta ses lèvres. Un sentiment atroce la tenaillait depuis que Marc avait disparu. C'était de sa faute ! Elle n'avait rien fait pour le secourir !

Elle avait laissé s'enfoncer dans le sol la seule personne au village qui aurait pu l'aider à contrer les Bouchard : Yvan. Jamais elle n'aurait dû lui demander de l'accompagner dans cette mission.

Ils vont payer pour ça, Yvan. Je te le jure.

Du revers de la main, elle balaya son visage. Non, pensa-t-elle. Elle ne pouvait se blâmer pour la disparition d'Yvan. Les responsables étaient les forces qui animaient la forêt. Les coupables étaient les esprits des sorciers. Les Bouchard savaient qu'Aline s'en allait les combattre. Peut-être même savaient-ils qui elle était.

S'ils cherchaient à la retarder, c'est qu'ils savaient qu'elle pourrait arrêter Marc, le raisonner, le réveiller. Mais quand les esprits auraient pris possession de son corps, Aline ne pourrait plus rien contre eux.

Les mouvements menaçants des buissons ne l'impressionnaient plus. C'est à peine si elle notait leur présence. Sa démarche avait quelque chose de mécanique, d'automatique ; son corps se dirigeait vers le destin, pendant que son esprit bouillonnait sans arrêt. Plus rien ne l'empêcherait de se rendre jusqu'au bout. Elle ne laisserait pas tomber un deuxième ami, qui, celui-là, ignorait tout de ce qui se préparait. Et qui en était l'outil principal.

Marc, elle le sauverait.

Son village, elle le sauverait.

Il y avait toujours cette espèce de volonté de la stopper dans le comportement de la végétation, dans les vagues qui animaient les branches les plus basses et qui parfois frôlaient la tête d'Aline. Dans la danse des longues herbes, qui se nouaient sur son chemin. Dans les frémissements des buissons, qui croisaient leurs innombrables bras comme pour l'attraper. Mais toutes ces attaques n'arrivaient qu'à la caresser, à glisser sur elle comme de l'eau de pluie sur une mouette. Parfois, dans un sursaut d'énergie, une tige agrippait sa chair ou son linge et en emportait une parcelle. Plus forte que la douleur, Aline conservait son rythme.

Elle marchait sans dévier, elle se dirigeait tout droit vers le théâtre de l'Affrontement. Comme pour mieux cristalliser cette pensée dans son esprit fiévreux, au détour d'un arbre imposant, une lueur verte teinta une portion de ténèbres si faiblement qu'elle dut cligner des yeux à quelques reprises pour s'assurer qu'il ne s'agissait pas d'une illusion. Aucun doute n'était possible. C'était là. Elle se mordit les lèvres. L'infime hésitation qui avait pris forme dans ses pensées n'atteignit pas son corps ; Aline continua. Elle s'y sentait même poussée et, à ce moment, elle eut une pensée pour Pepére, celui qui avait jadis combattu et vaincu, avec à son cou le médaillon qu'elle-même portait maintenant.

Aline s'arrêta net, puis balaya les cheveux que le vent ramenait sans cesse sur son visage. La lumière qui l'avait guidée provenait du fond d'une nouvelle clairière qui s'ouvrait devant elle.

Des formes dures se découpaient sur le ciel en reflétant un peu de cette mystérieuse clarté verdâtre. Une grosse maison de pierre se dressait dans la clairière et Aline la trouva particulièrement lugubre sous cet éclairage. Elle dominait toute la place, et le trou béant où aurait dû se trouver la porte d'entrée ressemblait à une gueule énorme capable d'avaler tout ce qui passe à sa portée. Le vent sifflait en s'engouffrant dans l'entrée, mais dans cette clarté irréelle ç'aurait tout aussi bien pu être la maison elle-même qui hurlait.

Un mouvement à droite arracha Aline à sa contemplation. Une silhouette s'approchait de la source de la lueur verte. Marc ! Elle soupira. Pendant un instant, elle avait redouté qu'il ne fût à l'intérieur de la maison. Elle s'élança en silence.

Cela lui rappelait son cauchemar : la clarté verdâtre qui planait au-dessus de la forêt, à l'ouest, puis se dirigeait vers le village… n'aurait plus manqué que… Aline s'empressa de chasser ces pensées.

Marc marchait tout droit vers une construction voûtée et très basse, sans doute en pierre. Et c'était de là qu'originait la lumière. Aline dut faire encore quelques pas avant de se rendre compte que cette construction était un caveau où étaient sans doute inhumés tous les corps des propriétaires des lieux : les Bouchard. Elle obliqua vers la gauche et profita des ruines d'une espèce de petit hangar pour observer la scène.

Le temps était venu. Elle devait agir. Or, maintenant qu'Aline était confrontée à l'instant de vérité, elle s'apercevait qu'elle n'avait aucune idée de ce qu'il fallait faire.

Marc s'arrêta devant la grille qui fermait le caveau. Pendant un long moment, il demeura immobile, sa silhouette découpée par la lueur verte qui s'échappait de la basse construction. Il leva finalement une main vers un coin de l'entrée et sembla s'appliquer à défaire quelque chose. Un petit objet scintilla dans sa main et Marc le fit passer trois ou quatre fois entre les barreaux. Finalement, il lança une chaîne au sol, à l'écart de l'entrée du caveau. Il fit ensuite demi-tour et se dirigea vers une grosse pierre plate, où il s'assit.

Aline se surprit à tendre l'oreille pour écouter Marc. Écouter ? Le vent ! Le vent avait cessé tout d'un coup. Tombé raide mort, pensa-t-elle.

La lueur qui s'échappait du caveau gagna en intensité. Cela irradiait dans la clairière au complet, colorant le moindre élément de décor. Aline contempla ses mains, vertes elles aussi. Elle n'aimait pas cette couleur. Elle détourna les yeux.

Un frémissement parcourut l'herbe devant l'entrée du caveau. Le mouvement roula comme une vague et vint mourir contre la pierre plate, aux pieds de Marc, qui avait renversé la tête vers l'arrière.

Quelque chose bougea à l'intérieur du caveau et Aline mit un moment à s'apercevoir que c'était la lumière elle-même qui était agitée de pulsations et de tourbillons. L'éclat, devenu si aveuglant que la grille de l'entrée était invisible, se concentra, occupa moins d'espace. Toute la lueur verte se tassa sur elle-même et peu à peu prit une forme qui se découpait dans les ténèbres du caveau.

Un homme.

La lueur verte, maintenant, c'était lui.

Il traversa la grille comme si elle n'avait été qu'une ombre, puis s'arrêta. Aline s'aplatit derrière les restes du hangar et le détailla. L'homme était nu et, à travers son corps, elle pouvait voir le paysage derrière lui, un coin du caveau, quelques vagues formes dessinées au loin par la lune.

La silhouette immatérielle leva sa tête vers le disque blême suspendu dans le ciel. Aline sursauta. Une voix s'était mise à chanter dans la clairière et il lui fallut une seconde pour se rendre compte que c'était Marc, toujours assis sur la pierre, la tête renversée, le cou tendu, qui émettait cette mélopée. C'était une plainte lente et monotone, qui tenait tout autant du chant que de la lamentation.

Toute la lueur était confinée dans la silhouette nue et transparente. Aucun reflet verdâtre n'était visible aux alentours. La lune prenait toute son importance, elle recouvrait la clairière de son voile léger et blanchâtre. Elle donnait à la peau de Marc un air de cadavre, lui dont le corps était arqué vers l'arrière, ses mains à plat sur la pierre assurant son équilibre. Aline voyait sa gorge se contracter au rythme de l'air qu'il chantonnait.

Le spectre restait tourné vers la lune et ses bras tendus se balançaient dans les airs en suivant la mélopée de Marc. D'autres lueurs apparurent dans le caveau, et d'autres silhouettes nues, hommes et femmes, se joignirent à la première.

Après un salut à la lune, tous les êtres immatériels se dirigèrent vers la grosse pierre où se trouvait Marc. Aline voulut lui hurler de se secouer, de se sauver à toutes jambes, mais aucun son ne sortit de sa bouche. Que devait-elle faire ? Était-il trop tard pour sauver Marc ? Pour sauver le village ?

Bientôt.

Aline se retourna. Personne. Cette voix, elle avait retenti dans sa tête. Elle l'avait reconnue. C'était la voix de Pepére. Il était toujours avec elle ! Elle n'était pas seule contre les sorciers.

Ces derniers avaient entamé une ronde autour de Marc, dont la gorge continuait de se contracter pour produire ce chant lugubre qui semblait imposer le rythme aux spectres des Bouchard.

Chacun brillait de son éclat vert, et leur lueur se projetait maintenant à l'intérieur du cercle qu'ils formaient, sur le corps de Marc et la pierre plate qui le soutenait.

Autel. C'est un autel. C'est là qu'ils offraient leurs sacrifices.

Ailleurs, c'était la pénombre. Au-delà, les ténèbres absolues de la forêt. Quelque part, se trouvaient Pepére et Clémence Bouchard, qui en ce moment devaient penser très fort à Aline.

À chaque tour, un spectre quittait la ronde et venait effleurer le corps de Marc, qui alors se cabrait tandis qu'une grimace indéfinissable fendait son visage. Puis le spectre retournait dans la ronde, et un autre la quittait.

Très bientôt.

Aline crispa les mâchoires. Que faire ?

Ce fut le silence. Marc n'émettait plus le moindre son. Les Bouchard s'étaient immobilisés. À travers leurs corps Aline voyait le paysage dans un arrière-fond laiteux. Juste au-dessus, la lune, énorme et pustuleuse.

Soudain les sorciers lui parurent plus grands, et Aline se crut victime d'une illusion. Mais les silhouettes verdâtres continuaient de grandir et de s'amincir, et bientôt elles n'eurent plus rien en commun avec la forme humaine. Leur substance s'étirait, formait un arc dont la pointe s'approchait rapidement de Marc. Dès qu'il y eut contact, la luminescence augmenta. Puis, dans un éclair aveuglant, tous les Bouchard disparurent.

Maintenant! Maintenant!

Aline bondit des ruines du hangar. Marc avait ouvert les yeux, mais n'avait pas bougé.

Il y a une espèce de choc à surmonter, ils ne peuvent rien faire pour l'instant.

Une idée traversa son esprit, et Aline changea de direction. Elle courut jusqu'au caveau et repéra un reflet sur le sol : c'était un crochet, fixé à la chaîne que Marc avait enlevée tout à l'heure. Elle se pencha et prit l'objet qui luisait doucement sous la lune. La chaîne était longue, assez longue pour... Aline fit demi-tour et marcha vers son compagnon, le crochet à la main.

Marc hurla, puis commença à se tordre sur la pierre. Il arracha ses vêtements avec des gestes secs et se griffa le torse comme pour en chasser quelque chose. Son ventre trembla, se déforma, gonfla. Des bosses monstrueuses y apparurent et se déplacèrent en tous sens, soulevant la peau, l'étirant à la limite de son élasticité.

Aline contourna la pierre plate en tirant la chaîne, l'étendant derrière Marc, qui ne cessait de s'agiter et de gémir. Pas derrière, mais autour de lui, en fait. Pourquoi faisait-elle cela ? La seule réponse était qu'elle devait le faire.

Le médaillon. Passe-lui le médaillon au cou.

Elle enleva le médaillon qui reposait sur sa poitrine et prit la lanière des deux mains, Pendant de longues secondes, elle s'appliqua à synchroniser ses gestes avec les mouvements désordonnés de Marc. Au moment où elle passait la lanière de cuir par-dessus la tête de Marc, une lueur verte passa dans les yeux de son compagnon. Dans un sursaut, Aline échappa le médaillon, qui heureusement tomba au bon endroit, autour du cou de Marc, qui cessa aussitôt de s'agiter.

La chaîne est fixée à une extrémité de la grille du caveau. À toi de refermer le cercle.

Reprenant en main le crochet, elle fit glisser la chaîne par-dessus Marc. Une explosion de couleur verte jaillit de son corps. Au lieu de s'étendre à la ronde, la couleur resta confinée à l'intérieur du cercle formé par la chaîne, animée de pulsations. La lueur se cristallisa et les formes spectrales du début redevinrent visibles. Aline sentit des secousses agiter la chaîne, mais elle la tenait solidement, et en aucun temps elle n'eut peur de l'échapper. Un tourbillon se forma dans la boucle ; un vent puissant se déchaîna en soulevant un nuage de poussière et de débris.

Aline se déplaçait vers l'entrée du caveau en entraînant la chaîne, diminuant à chaque pas la zone de confinement des entités vertes, ainsi que du tourbillon de vent, de plus en plus violent. Des parcelles de terre étaient maintenant arrachées du sol et s'élevaient à une hauteur vertigineuse dans les airs. La chaîne tressautait entre ses mains, les hurlements du vent devenaient assourdissants.

Referme complètement la boucle !

L'autre extrémité de la chaîne était ancrée dans la paroi de droite; Aline se dirigea vers celle de gauche. Elle ramena vers elle le surplus de chaîne, comprimant les éléments en furie dans une minuscule boucle, augmentant encore la hauteur du tourbillon de vent et de débris.

Enroule-la au grillage !

Aline se mit à la tâche, faisant passer rapidement la chaîne à travers les tiges du grillage. Dans un dernier hurlement, le tourbillon s'engouffra dans le caveau, entraînant Aline au passage. Elle s'agrippa désespérément à la grille de la main gauche, le reste de son corps soulevé de terre, attiré vers l'intérieur avec une force inouïe. De son autre main, elle tentait de placer le crochet dans l'anneau qui devait le recevoir. Trop loin, trop loin. Il lui manquait quelques centimètres. Les doigts de sa main gauche lâchaient prise un à un, et tout ce qu'elle pouvait faire était hurler d'effroi. Elle n'avait plus la force de lutter.

Elle ferma les yeux.

S'abandonna à l'ouragan qui l'aspirait vers l'intérieur du caveau.

Ses deux derniers doigts glissèrent sur le barreau de fer.

Pendant une éternité, son corps n'eut plus de poids. Il flottait comme dans un vide absolu, comme si elle s'était trouvée dans l'espace. Puis la chute vers le dedans du caveau commença.

Quelque chose se referma sur son poignet. La chute cessa. Aline fut tirée vers l'extérieur, et plus elle progressait, plus le vent perdait son emprise sur elle. Bientôt, le bas de son corps retomba sur le sol.

Aline ouvrit les yeux. La main qui tenait son poignet gauche était celle de Marc, penché sur elle, vêtements déchirés, son corps couvert de marques et ruisselant de sueur. Elle se redressa vivement et se rendit installer le crochet d'argent dans l'anneau, d'où il n'aurait jamais dû être enlevé.

Tout bruit cessa dans le caveau.

Tout sentiment d'oppression avait disparu. L'atmosphère étouffante qui avait enveloppé la clairière Bouchard s'était dissipée. Aline contempla un moment la lune, paisible dans le ciel.

Marc était à genoux sur le sol, son regard tourné vers elle. Savait-il, comprenait-il ce qui venait de se passer ? Oui, bien sûr. Assez pour la savoir en danger, assez pour être venu la secourir.

Mais se doutait-il que la menace serait toujours présente, que malgré cette victoire qu'ils venaient de remporter les esprits des Bouchard seraient toujours là, à la frontière du monde, à guetter la moindre occasion de revenir ? Parce que c'était lui, Marc, son corps, son sang, qui représentait, tant qu'il serait vivant, le seul espoir pour les sorciers d'accomplir leur prophétie.

Ces pensées tournaient dans la tête d'Aline pendant que ses yeux sondaient ceux de Marc. Elle savait que c'était la vérité et pourtant, cette vérité n'était pas portée par la voix de Pepére ; c'étaient ses propres pensées.

— Je pense qu'on ne sera jamais tranquilles avec ça, dit Marc.

Aline écarquilla les yeux. Il savait ! merci, mon Dieu, il savait !

Elle ne posa pas de question. Inutile. Et pénible. Elle accepta ce fait, comme elle avait accepté les incroyables événements qui venaient de se produire. Avait-il été conscient de ce qui lui arrivait ? Peu importait. Il n'y avait que l'évidence tangible : Marc savait.

— On peut, Marc. Avec de la détermination, du courage, avec…

— Avec toi. Avec toi, tout est possible.

Et soudain, bien d'autres choses devenaient possibles. Des idées douces et fugitives dansaient dans sa tête.

Marc s'approcha, posa ses mains sur les épaules d'Aline et riva ses yeux merveilleusement pâles sur ceux de la jeune fille.

— Il y a seulement moi qui puisse provoquer un retour des Bouchard. Il y a seulement nous deux pour l'empêcher.

C'était exactement ce qu'elle pensait ! Pour assurer l'avenir du village, ils allaient devoir faire équipe. Vivre ensemble !

Elle se laissa tomber dans le regard de Marc. Vivre ensemble ! Dans son cas à elle, cela semblait l'avenir idéal.

Il cligna des yeux.

— J'ai-tu une graine dans l'œil pour que tu me fixes comme ça ?

Oui, Marc, médita-t-elle. C'est moi, la graine.

Il inclina la tête, et ses lèvres chaudes effleurèrent celles d'Aline.

Collection « Ado »

1. *Le Secret d'Anca*, roman, Michel Lavoie.
2. *La Maison douleur et autres histoires de peur*, nouvelles réunies par Claude Bolduc, avec la participation d'Alain Bergeron, de Joël Champetier, de Michel Lavoie, de Francine Pelletier et de Daniel Sernine.
3. *La Clairière Bouchard*, roman, Claude Bolduc.

Composition et mise en page :
Éditions Vents d'Ouest (1993) inc.
Hull

Négatifs de la page couverture :
Imprimerie Gauvin ltée
Hull

Impression et reliure :
AGMV inc.
Cap-Saint-Ignace

Achevé d'imprimer en janvier
mil neuf cent quatre-vingt-seize

Imprimé au Canada